D1075359

CAMILLE SAINT-SAËNS

MUSIQUES DU PRIX DE ROME

JULIE FUCHS

MARINA DE LISO

SOLENN' LAVANANT LINKE

BERNARD RICHTER

PIERRE-YVES PRUVOT

NICOLAS COURJAL

BART CYPERS

FRANÇOIS SAINT-YVES

FLEMISH RADIO CHOIR

BRUSSELS PHILHARMONIC – THE ORCHESTRA OF FLANDERS

HERVÉ NIQUET

CAMILLE SAINT-SAËNS

MUSIQUES DU PRIX DE ROME

Un recueil d'essais sur Saint-Saëns et l'art officiel sous le Second Empire : les splendeurs de la musique d'église, les vicissitudes du prix de Rome, le scandale de l'insuccès de Saint-Saëns au concours de l'Institut...
Contributions de Rémy Campos, Alexandre Dratwicki, Yves Gérard, Diego Innocenzi, Julia Lu et Marie-Gabrielle Soret, éditées par Alexandre Dratwicki.

ÉDITION LIMITÉE ET NUMÉROTÉE À 2 400 EXEMPLAIRES

cet exemplaire a le numéro :

1605

EDICIONES SINGULARES

Direction de la collection : Carlos Céster
Design de la collection : Valentín Iglesias
Assistance éditoriale : María Díaz

Photos solistes (pages 108-109) : 'bdllah Lasri (Julie Fuchs), Ribaltaluce Studio (Marina De Liso), Philippe Grunchec (Pierre-Yves Pruvot), Jean-David Delepine (François Saint-Yves)

Une production Glossa Music, s. l. pour MusiContact GmbH

Glossa Music, s. l. – Timoteo Padrós, 31 – 28200 San Lorenzo de El Escorial – Espagne
MusiContact GmbH – Carl-Benz-Straße, 1 – 69115 Heidelberg – Allemagne
www.glossamusic.com

Printed and made in Spain
Dépôt légal : novembre 2010 – M-49052-2010
ISBN : 978-84-614-5203-3

Sommaire

RÉMY CAMPOS *est professeur d'histoire de la musique au Conservatoire National Supérieur de Musique et de Danse de Paris et responsable de la recherche au Conservatoire de Musique de Genève - Haute École de Musique. Ses travaux ont d'abord porté sur les institutions musicales (*Instituer la musique. Les débuts du Conservatoire de Genève (1835-1859)*, 2003) et l'histoire des disciplines musicologiques (avec Nicolas Donin :* L'Analyse musicale, une pratique et son histoire*, 2009). Il s'intéresse actuellement aux pratiques de lecture et d'interprétation de la musique au XIXe et au début du XXe siècle.*

Directeur scientifique du Palazzetto Bru Zane - Centre de musique romantique française à Venise, docteur en musicologie et ancien pensionnaire de la Villa Médicis, ALEXANDRE DRATWICKI *a écrit plusieurs articles sur la musique française du XIXe siècle. Diplômé du Conservatoire de Paris (esthétique), il a été producteur à Radio France. En tant que chercheur, il s'intéresse particulièrement aux notions de virtuosité et d'académisme musical (prix de Rome) ; il a publié plusieurs livres chez Somogy, Le Cavalier bleu et Symétrie, dont l'un –* Un Nouveau Commerce de la virtuosité *– a obtenu le Prix des Muses de l'essai en 2007.*

Après des études de philosophie et de musique commencées à l'Université et au Conservatoire de Nancy et achevées au Conservatoire de Paris et à la Sorbonne, YVES GÉRARD *poursuit une carrière de musicologue comme professeur-chercheur au CNRS (1965-1975) puis au Conservatoire de Paris (1975-1997) et, comme invité, dans des universités nord-américaines (Québec, Vancouver, Maryland : 1975-1995). Ses travaux portent essentiellement sur Boccherini, Berlioz, Saint-Saëns.*

DIEGO INNOCENZI *est organiste et chef de chœur, titulaire des orgues des paroisses protestantes de Saint-Gervais et de Vandœuvres à Genève. Curieux de répertoires originaux, il mène depuis de nombreuses années des recherches sur l'interprétation de la musique sacrée et des pièces d'orgue des XIXe et*

XXe siècles. Ces investigations ont débouché sur l'enregistrement de l'intégrale de l'œuvre pour orgue et des motets de César Franck en collaboration avec Les solistes de Lyon - Bernard Tétu (Aeolus, 2007 et 2010).

Premier prix de piano au Conservatoire de Sydney, JULIA LU *a obtenu successivement un master de musicologie à l'université de Melbourne et un doctorat au Royal Holloway, University of London. Ses recherches concernent la musique française du XIXe siècle, l'étude de l'interprétation et le répertoire pour piano. Elle a co-dirigé (avec Alexandre Dratwicki)* Le Concours du prix de Rome de musique (1803-1968) *aux éditions Symétrie. Elle est actuellement chercheur associé à la School of Music - Conservatorium, Monash University de Melbourne.*

Docteur en musicologie, auteur d'une thèse sur les écrits de Camille Saint-Saëns, MARIE-GABRIELLE SORET *est conservateur au Département des arts du spectacle de la Bibliothèque nationale de France, chargée du traitement et de la valorisation des fonds d'archives du début du XXe siècle. Elle exerçait les mêmes fonctions au Département de la musique de 1996 à 2008, pour les fonds de compositeurs, d'interprètes et d'éditeurs. De 1986 à 1996, Marie-Gabrielle Soret a assuré la direction de la Bibliothèque Gustav Mahler et du Centre de documentation musicale Maurice Fleuret, ainsi que le commissariat de nombreuses expositions.*

PALAZZETTO BRU ZANE
CENTRE DE MUSIQUE ROMANTIQUE FRANÇAISE

À l'initiative du Docteur Nicole Bru, le Palazzetto Bru Zane - Centre de musique romantique française est une réalisation de la Fondation Bru, créée en 2005. Éducation et recherche, valorisation et transmission du patrimoine, environnement, sont les domaines clés choisis par Nicole Bru pour pérenniser le nom et les actions des fondateurs des Laboratoires UPSA. *Unissant ambition artistique et exigence scientifique, le Palazzetto Bru Zane est une nouvelle traduction de l'esprit humaniste qui guide les actions de la Fondation Bru. Il témoigne aussi de la passion d'une vie pour la musique. Situé à Venise, ce centre a pour vocation d'apporter au répertoire musical français du grand* XIXe *siècle le rayonnement qu'il mérite et qui lui fait encore défaut. Les objectifs sont pluriels. Lieu de programmation, d'enseignement et de travail vivant, il se veut également un centre de ressources documentaires, de recherche, d'édition et de diffusion des savoirs.*

C'est au cours de prospections à la Bibliothèque nationale de France, dans les années 2002-2003, que furent exhumées des partitions de « cantates » et « scènes lyriques » publiées dans la seconde moitié du XIXe siècle et composées par des auteurs français dont beaucoup demeurent absolument inconnus, tels Gaston Carraud, Georges Hüe ou Paul Hillemacher. Jouées confidentiellement au piano, ces pages révélèrent un intérêt indéniable : des recherches complémentaires leur furent consacrées. Au fil des années, un corpus de près de deux cents œuvres fut rassemblé – les fameuses « cantates pour le prix de Rome » – dont la plupart sont encore aujourd'hui à l'état de manuscrits, jamais publiées ni jouées, bien que certaines soient signées Gounod, Massenet, Bruneau, Dukas ou Schmitt. Partenaire de la réhabilitation de ce répertoire dès l'origine, le chef d'orchestre Hervé Niquet s'employa à redonner en concert plusieurs ouvrages méconnus d'Androt, Bouteiller ou Halévy entre 2005 et 2008. Chaque fois, le public et les artistes s'enthousiasmèrent pour cette musique.

À l'heure de la renaissance du répertoire romantique français, le Palazzetto Bru Zane - Centre de musique romantique française a souhaité initier un vaste chantier consacré au prix de Rome, à travers l'édition musicale et musicologique d'une part – en relation avec l'éditeur Symétrie – et l'enregistrement discographique de l'autre. Glossa, le Brussels Philharmonic - the Orchestra of Flanders et le Flemish Radio Choir ont été des collaborateurs de premier ordre pour mener à bien ce projet. La figure de Debussy s'est imposée naturellement pour inaugurer cette série de livres-disques en 2009. Elle est complétée – avec ce deuxième volume – par une figure non moins pittoresque : celle de Saint-Saëns, un « refusé » du concours qui laissa pourtant des ouvrages académiques magistraux, et jusqu'à présent absolument ignorés.

Nous tenons à remercier l'ensemble des partenaires de cette aventure discographique, et pour commencer les artistes, qui se sont tous investis avec enthousiasme. Doivent également être mentionnés, pour leur participation scientifique à la rédaction des textes du livre, Rémy Campos,

Yves Gérard (lequel a attiré notre attention il y a plusieurs années sur les « cantates de Rome » de Saint-Saëns), Diego Innocenzi, Julia Lu et Marie-Gabrielle Soret. Cyril Bongers et l'équipe de Symétrie ont apporté toutes leurs compétences pour l'édition de la plupart des partitions, restées à l'état de manuscrits. Nous remercions aussi, pour son apport concernant l'iconographie, la bibliothèque du Conservatoire Supérieur de Genève - Haute École de Musique en la personne de Jacques Tchamkerten.

L'équipe du Palazzetto Bru Zane

Exécution d'une cantate sous la coupole de l'Institut.
Musica, janvier 1903, p. 61.

Exécution d'une cantate au piano devant le jury du prix de Rome.
Collection particulière.

Saint-Saëns vers 1855, entre ses deux présentations
au concours du prix de Rome.
Musica, septembre 1908, p. 132.

Introduction

Alexandre Dratwicki

Saint-Saëns et le prix de Rome... sujet bien curieux pour qui sait que le compositeur n'obtint jamais la récompense décernée annuellement par l'Académie des beaux-arts. Et pourtant, sujet captivant si l'on se rappelle que de nombreux « refusés », tels Alkan, Bruneau, Chausson, Dukas ou Ravel, ont laissé de la musique « romaine » tout à fait originale, et loin d'être dénuée d'intérêt. D'autres artistes, plus chanceux, ont concouru à différentes reprises, laissant – comme Berlioz ou Debussy – plusieurs cantates dont les plus intéressantes ne sont pas forcément celles primées. À elle seule, *Cléopâtre* de Berlioz, œuvre non récompensée en 1829, totalise plus d'exécutions en concerts que l'ensemble des cantates pour le prix de Rome composées pendant l'histoire du concours, soit entre 1803 et 1968.

Le cas Saint-Saëns est autrement plus curieux, car le compositeur – profitant d'une modification dans le règlement du concours – candidata à deux reprises, et à plus de dix ans d'intervalle : en 1852 puis en 1864. La première fois, c'est encore un adolescent vouant au grand Mendelssohn un culte exclusif ; la seconde fois, il a déjà derrière lui certains des chefs-d'œuvre que la postérité a ratifiés, il a connu Verdi, il a découvert Wagner. Si la musique composée alors ne fut pas récompensée, c'est peut-être parce qu'elle porte en elle une modernité qui dérangea : *Ivanhoé*, la cantate de 1864, n'a très clairement rien à envier à *Il Trovatore*... Entre ces deux concours, Saint-Saëns s'est parallèlement acquis une réputation dans la musique d'église grâce à la composition de nombreux et splendides motets. Preuve qu'il est possible de briller dans l'académisme religieux et d'échouer dans l'académisme lyrique… si tant est qu'on omette *Samson et Dalila*… qui flirte toutefois avec l'oratorio.

Le présent enregistrement propose ainsi une juxtaposition de ces deux mondes – tous deux différemment lyriques – représentant l'art officiel à Paris sous le Second Empire : l'opéra et la musique d'église. Une œuvre en particulier s'affiche involontairement comme une sorte de trait d'union entre ces deux entités : l'*Ode* imposée au concours d'essai de 1864 est effectivement l'un des rares sujets religieux distribués aux candidats dans ce contexte. On y voit Saint-Saëns développer un talent qui devance de beaucoup celui de ses concurrents, s'épanouissant en une vaste fresque aux accents néo-palestriniens, indubitablement héritière de la *Messe opus 4* achevée en 1857. Le monde religieux contaminant le monde académique offrait à Saint-Saëns une chance inespérée de faire valoir ses acquis personnels. Le second tour en décidera autrement, quoique *Ivanhoé* soit, de l'avis de beaucoup – et hier comme aujourd'hui –, un ouvrage d'une valeur indéniable. Il n'était jusqu'à présent permis d'en juger qu'à la lecture de la partition manuscrite. Le disque rend enfin hommage à cette musique énergique et étonnamment moderne par instants. *Le Ménestrel* du 24 juillet 1864 offre un raccourci romancé de l'histoire de cet insuccès inexpliqué :

> Ce n'est point en raison de la mise hors du concours de la cantate de M. Saint-Saëns que celle de M. Sieg a obtenu le grand prix de Rome. Jusqu'en l'année 1866, les concurrents âgés de plus de vingt-cinq ans auront le droit de concourir, fussent-ils, comme M. Camille Saint-Saëns, dans la situation peu normale d'un candidat se représentant douze ans après son entrée en lice. Il y a en effet douze ans que M. Camille Saint-Saëns briguait pour la première fois le prix de Rome, et alors comme aujourd'hui, il sortait premier du concours d'essai. Depuis cette époque, chacun sait la réputation méritée que s'est acquise ce virtuose du piano, et personne

> ne s'attendait à le voir se remettre sur les rangs pour le grand prix de composition. Mais M. Saint-Saëns vise au théâtre et par le chemin de Rome ; il s'est donc présenté et le succès paraissait acquis à sa cantate exécutée la première, quand, en dernier lieu, la cantate (n° 5) de M. Sieg est venue révéler autant d'imagination que la cantate n° 1 avait prouvé de talent. Tout aussitôt, par un revirement spontané, le jury a donné le n° 1 au n° 5, et le premier, M. Saint-Saëns a vivement félicité son jeune et heureux rival, qui se trouve être l'un de ses meilleurs amis, et hésitait, au moment d'entrer en loge, à se présenter en face d'un concurrent aussi exceptionnellement dangereux que l'était en effet M. Saint-Saëns.

Douze ans plus tôt, la cantate de 1852 n'était pas servie par un poème d'aussi grande valeur qu'*Ivanhoé*. Le critique du *Constitutionnel* y voyait cependant suffisamment de contrastes pour qu'un jeune artiste pût en tirer le meilleur parti :

> Le sujet de la cantate, j'oubliais de vous le dire, est *Paul et Virginie*, ou plutôt *Paul* sans *Virginie*, car on a choisi le moment où la jeune fille revient sur le Saint-Géran pour mourir devant la rade et sous les yeux de son amant, qui ne serre plus dans ses bras qu'un cadavre. Virginie reste donc dans la coulisse. Il peut sembler maladroit qu'on se prive du personnage principal qui est le cœur et l'âme du chef-d'œuvre de Bernardin de Saint-Pierre. Mais, telle qu'elle est, cette cantate ne manque pas de talent, et offre, en très peu de scènes, une assez grande variété de situations et de sentiments.

Les textes du présent livre expliqueront chacun à leur manière les raisons de l'insuccès de Saint-Saëns. Pour notre part, le résultat des deux concours ne nous semble pas totalement injustifié, au contraire : si l'on rappelle que l'Académie des beaux-arts – *via* le prix de Rome – entendait préserver la tradition du grand opéra français sérieux, en bannissant notamment les influences trop ouvertement italiennes ou germaniques, on comprendra son choix de ne pas récompenser Saint-Saëns. Son *Retour de Virginie* impose effectivement un style ouvertement « opéra-comique », dans lequel les volutes ornementales du rôle de Marguerite, en particulier, rompent trop catégoriquement avec la déclamation héritée de la tragédie lyrique. Douze ans plus tard, *Ivanhoé* se tourne pour sa part vers une autre forme d'italianité, celle du Verdi façon « *Trovatore* ». À ce propos, il est amusant de relever justement dans un compte rendu de la cantate de Victor Sieg – le chanceux concurrent de Saint-Saëns – cette remarque dubitative :

> M. Sieg, le dernier couronné, est tout jeune ; c'est une grande qualité lorsqu'on sort d'un concours aussi sérieusement disputé que l'était celui-ci. Il n'aura pas encore perdu cette heureuse qualité quand il reviendra de l'exil réglementaire auquel nos jeunes compositeurs sont condamnés, l'on ne sait trop pourquoi, dans le pays ou fleurissent les cavatines de M. Verdi et les grands *colpi di gola* des chanteurs de la nouvelle école.

Nouvelle école donc, que ces cantates de Saint-Saëns ? Sans être si radicales, elles témoignent d'une main habile et méritaient bien une réhabilitation sérieusement documentée.

La cour de l'Institut pendant les délibérations du jury du prix de Rome.
Musica, août 1911, p. 142.

Le prix de Rome de musique (1803-1968)

Alexandre Dratwicki

Créée en 1666 à l'initiative conjuguée de Lebrun et Colbert, l'Académie de France à Rome ne fut ouverte à la musique qu'en 1803, lorsque l'institution déménagea dans la prestigieuse Villa Médicis acquise par Napoléon. Les musiciens étaient tous des élèves en fin de scolarité au Conservatoire de Paris, le prix de Rome étant une manière de couronner leurs études dans cet établissement. L'examen s'articulait en deux phases. La sélection des candidats s'opérait d'abord au moyen d'une épreuve préliminaire – un « concours d'essai » – qui consistait en l'écriture d'une fugue puis d'un chœur sur des paroles imposées. Mais l'étape essentielle était la composition d'une scène lyrique ou « cantate » sur un sujet historique, biblique, romanesque ou mythologique. Les livrets de ces cantates cherchaient à reproduire, en une vingtaine de minutes, l'essentiel des situations dramatiques auxquelles un compositeur d'opéra pouvait être confronté. Les plus grands noms se sont mesurés à l'épreuve : Halévy, Berlioz, Thomas, Gounod, Bizet, Massenet, Debussy, Ravel... laissant des centaines d'œuvres encore bien peu connues.

L'histoire du prix de Rome n'est rien d'autre que l'histoire de la musique française, ramenée à une sorte de fil conducteur menant de 1803 à 1968. Sait-on qu'une partie des spectateurs de la séance publique annuelle de l'Académie des beaux-arts – où est jouée la cantate récompensée –

représente l'élite politique et artistique du moment, à laquelle se mêlent journalistes et directeurs de théâtres ? Cette concentration de personnalités explique que les plus grands chanteurs acceptent de prêter gratuitement leur concours à l'exécution des cantates. La place occupée par les instrumentistes lors de l'exécution des cantates à l'Institut mérite d'être signalée, car, installés dans les hauteurs du dôme du palais des Quatre-Nations, ils furent toujours très mal situés d'un point de vue acoustique. D'où la conclusion accablante que toutes les cantates ont été entendues dans des conditions déplorables qui ne permettaient absolument pas de les juger objectivement.

1830 est indéniablement une date charnière dans l'histoire du prix. Quoiqu'on fasse pour minorer l'impact de la révolution de Juillet sur les mentalités, force est de reconnaître que, même dans le cadre prétendument conservateur du concours de Rome, un bouleversement s'opère. Le premier changement important intervient en 1831 : la cantate n'est plus écrite pour voix seule et orchestre, mais pour deux personnages. Bientôt un troisième rôle leur est adjoint. Ce tâtonnement trahit des enjeux de taille : confrontée à la modernité du grand opéra meyerbeerien – pour la forme – et aux élans d'un nouveau style musical – le « romantisme » –, la cantate se doit de correspondre au goût du moment. Tout simplement parce que son seul objectif est de tester l'aptitude des candidats à composer pour le théâtre. Si le style musical de la scène lyrique réformée change, c'est aussi sous l'effet des livrets proposés au concours. Les auteurs se tournent volontiers vers la fiction romanesque ou légendaire, à une époque où le mélodrame connaît ses heures de gloire.

Mais suite aux différentes critiques formulées à l'encontre du jugement du prix, l'administration des beaux-arts décide, en 1863, une réforme brutale de l'attribution des compétences : on retire à l'Académie l'organisation du concours, que l'on confie conjointement à l'École des beaux-arts et au Conservatoire (ce dernier pour la musique). Cette décision est le fruit de plusieurs années de réflexion ayant pour but de poser l'originalité comme pierre angulaire d'une politique artistique d'État. Il s'agit de rendre l'académisme plus proche du goût contemporain. Parmi les principales modifications apportées au concours, la première concerne les membres du jury. Désormais au nombre de neuf, les examinateurs sont tirés au sort par le Ministère. Pour chaque concurrent, les modifications « concrètes » sont d'ordres divers : la limite d'âge est fixée à vingt-cinq ans ; l'État prend désormais intégralement en charge les frais pragmatiques qu'occasionne la mise en loge ; un prix seulement peut être décerné et la durée du séjour se voit raccourcie à quatre ans au lieu de cinq.

À l'automne 1871, cependant, la chute de l'Empire entraîne un « retour à l'ordre » dans les activités académiques. Tandis que la Troisième République est ballottée entre tendances monarchistes et républicaines, le concours de Rome réinvestit sa demeure première : l'Institut. En musique, cette réintégration ne se fait pas sans modifications par rapport au modèle initial. Puisque l'accusation de cabales et de favoritisme devient (ou plutôt reste) récurrente, le Ministère impose que des membres extérieurs à l'Académie lui soient associés pendant les délibérations, encourageant ainsi la transparence des résultats. Le prix de Rome connaît alors ses années les plus glorieuses. Entre 1880 et 1890, ce ne sont pas moins de cinq futurs grands noms de la musique française qui sont tour à tour lauréats : Bruneau, Pierné, Debussy, Charpentier et Dukas.

C'est au tournant du siècle que le prix de Rome connaît un événement majeur de son histoire, dont les conséquences aboutiront à la suppression du concours. L'affaire en question naît des échecs successifs de Ravel qui, après avoir obtenu un deuxième second prix en 1901, n'est pas récompensé en 1902 et 1903, et pas même admis en loge à l'issue du concours d'essai de 1905. À cette occasion – et pour la première fois –, les journalistes vont engager une réflexion qui ne se contente pas de dénigrer, mais propose sérieusement de reconstruire. Car il y a bel et bien dissension entre « prix de Rome » et « modernité ». À une époque qui ne doute plus de l'intérêt de la musique instrumentale, la cantate semble aussi désuète qu'inutile dans la formation des compositeurs : le milieu artistique ne se reconnaît plus dans ce mode de sélection. Un conflit larvé oppose peu à peu le Ministère, l'Académie des beaux-arts, l'Académie de France à Rome et les institutions d'enseignement. Il atteint son apogée lors des événements de mai 68. Cette année-là, les épreuves du prix sont déplacées puis ajournées. Aucun concours n'a lieu en 1969, mais ce n'est que le 16 septembre 1970 qu'un décret ministériel remet officiellement en cause le concours et fait disparaître la notion de « prix de Rome ». Depuis cette date, la Villa Médicis continue d'héberger des pensionnaires choisis chaque année, mais le mode de sélection n'a plus rien à voir avec le principe imaginé en 1803 pour la musique.

Saint-Saëns dessiné par Pauline Viardot en 1858.
Musica, février 1903, p. 70.

Saint-Saëns et le prix de Rome : scandale(s) ?

Yves Gérard

Dans le domaine musical, l'imaginaire culturel français a si fortement associé le terme d'« académisme » à la personnalité et à l'œuvre de Saint-Saëns que ses relations avec les institutions académiques semblent aller de soi, tout naturellement. Il n'en est rien. Les premiers contacts officiels du jeune Saint-Saëns avec le Conservatoire et l'Institut sont entachés de nuages ou de tempêtes, et ne faudrait-il pas même parler de « scandale » ?

L'éclatant succès du premier concert public, le 6 mai 1846, dans les salons Pleyel, du tout jeune Camille Saint-Saëns, âgé de dix ans et demi, avait conduit Mme Clémence Saint-Saëns à solliciter de Camille Stamaty, le professeur de piano qu'elle avait choisi pour son fils, un projet complet d'études musicales ordonnées. Le copieux programme suggéré par Stamaty se réalisa. Entre autres recommandations, Saint-Saëns entra au Conservatoire dans la classe d'orgue de Benoist, comme auditeur en novembre 1848, puis comme élève le 16 janvier 1849. Le 18 juillet suivant, le jury lui attribuait un second prix d'orgue, en raison de sa remarquable prestation. Un an plus tard, le 17 juillet, malgré un concours réussi, semble-t-il, on annonça, selon la formule habituelle, que : « Le jury n'a pas jugé qu'il y eût lieu de décerner un Premier Prix ». Le souci d'accorder une année supplémentaire au très jeune organiste, et dans son intérêt, domina la délibération finale. Le premier prix lui fut attribué le 28 juillet 1851, et son succès fut rendu encore plus sensible par l'annonce renouvelée que « le jury n'a pas jugé qu'il y eût lieu de décerner un Second Prix ni un Premier Accessit », ce qui ajoutait au diplôme une appréciation de très grande qualité.

Libéré de la classe d'orgue, Saint-Saëns continua ses études d'écriture dans la classe de composition de Halévy pendant l'année scolaire 1851-1852, et il lui parut naturel – le Conservatoire n'ayant pas, à l'époque, de diplôme spécifique pour la composition, le concours pour le prix de Rome s'y substituant – de s'inscrire pour la compétition. Saint-Saëns, à l'issue d'une mise en loge du 5 au 11 juin 1852, rendit ses copies pour les épreuves de fugue, sur un sujet donné par Carafa, et de chœur avec orchestre. La délibération du jury, dès le 12 juin, le plaça en tête des six candidats sélectionnés pour l'écriture de la traditionnelle cantate, sur un texte, *Le Retour de Virginie*, d'Auguste Rollet d'après Bernardin de Saint-Pierre, que l'Institut, à la suite d'un concours organisé annuellement depuis 1845, avait couronné avant de l'imposer aux candidats remis en loge du 26 juin au 21 juillet. Le 7 août, le verdict tombait : Saint-Saëns n'obtenait aucune récompense ; Léonce Cohen et Ferdinand Poise se partageaient les premier et second grands prix.

Relisant, en novembre 1894, ses partitions du concours de 1852, Saint-Saëns confia à Charles Malherbe :

> Quel absurde livret ! quels vers misérables ou même ridicules ! Ceci dit d'ailleurs sans intention de défendre mon travail qui ne valait pas cher. Il me fallait peindre l'océan et son immensité ; comme je n'avais jamais vu la mer, je m'inspirai de Mendelssohn pour lequel je professais alors un véritable culte, et je lui empruntai bon nombre de ses formules, en me souvenant de son ouverture intitulée *Meeresstille*. Tout le reste à l'avenant. [...] Bref, je n'obtins rien, pas même une mention qu'on aurait pu m'octroyer à titre d'encouragement, eu égard surtout à ma jeunesse et, somme toute, à l'écriture convenable de mon orchestre.

> La vérité est que je m'étais présenté trop tôt à ce concours, et que je n'étais pas encore de taille à en sortir vainqueur. [...] Tout cela est bien [lointain] et n'a plus qu'un intérêt rétrospectif !

On ne peut être plus lucide sur cette cantate imposée. La presse elle-même avait constaté la faiblesse du livret, comme le critique de la *Revue et Gazette musicale de Paris* du 10 octobre 1852 :

> C'est dommage qu'à ce *Retour de Virginie*, il manque tout simplement Virginie. Le drame, à trois personnages, se passe entre Paul, sa mère et le missionnaire des Pamplemousses. Paul chante son amour et les chagrins de l'absence dans des vers tendres et mélodieux. Sa mère vient lui annoncer que Virginie arrive de France à bord du Saint-Géran ; le missionnaire vient ensuite l'avertir que l'orage commence et l'invite à la prière. Après avoir prié, Paul veut s'élancer dans les flots, et les flots lui apportent le cadavre de Virginie : voilà tout le drame.

Quant à l'influence de Mendelssohn, elle était déjà visible dans le *Chœur des Sylphes* soumis au concours : « D'une aile légère / Avec les zéphyrs / Volons sur la terre / Semons les plaisirs » imité du *Scherzo de la reine Mab* du *Songe d'une nuit d'été*. Enfin, le regret de Saint-Saëns de n'avoir pas reçu une mention est tout à fait justifié. Certes, s'il n'avait à son actif, dans le domaine instrumental, que de petites pièces pour piano et des essais, souvent inachevés, de symphonie, sonate, quatuor, son bagage de mélodies était déjà conséquent, et remarquable : son enthousiasme récent pour Hugo lui avait fait composer *Guitare* (avril 1851), *Rêverie* et *La Chasse du Burgrave* (octobre 1851) ainsi qu'une cantate *Moïse sauvé des eaux* (1851) auxquels s'ajoutaient une autre *Cantate*, sur des vers de Mme Amable Tastu, en 1850 et, cette même année, une cantate-scène lyrique, *Prélude d'Antigone*, véritables préparations au concours de Rome. À la décharge du jury, il est probable qu'il ne connaissait pas ces ouvrages, non encore édités, et que seul peut-être Halévy aurait pu les lire dans le cadre de sa classe au Conservatoire.

La revanche de cet échec vint du succès de Saint-Saëns au concours que la Société Sainte-Cécile organisa précisément début août 1852, sur le modèle du concours de Rome, pour son concert annuel d'œuvres contemporaines. La Société des gens de lettres avait déjà couronné, après compétition, un texte de Nibelle, tiré du *Psaume XVII* (verset 1) *Diligam te, Domine* adapté en vers français et retraçant les préparatifs du mariage puis le martyre de Cécile : « L'hymen allumait ses flambeaux... ». Saint-Saëns acheva sa partition, l'*Ode-Cantate à sainte Cécile*, le 22 septembre 1852. Et le jury, composé de Halévy, Adam, Reber, Gounod, Gouvy, Seghers et Weckerlin, attribua, fin novembre, le prix à l'œuvre de Saint-Saëns, à l'unanimité, après examen des vingt-deux ouvrages déposés. Halévy et Adam, déjà dans le jury du concours de Rome, comme membres de droit en tant qu'académiciens, ne saisirent-ils pas l'occasion offerte de se dédouaner pour l'échec « académique » ? Le concert eut lieu le 26 décembre 1852, avec un succès mitigé, la presse discutant l'*Ode-Cantate* avec les mêmes remarques qu'elle mettait à juger la cantate pour le prix de Rome et aboutissant à la même conclusion : travail de début de carrière qui s'améliorera dans l'avenir, espérons-le.

La Société Sainte-Cécile, un peu franc-tireur dans son désir de « combler les manques » de la Société des concerts du Conservatoire qui créait peu d'œuvres nouvelles, avec son orchestre dirigé par Seghers et son chœur par Weckerlin, dissipait le *nuage* causé par l'absence de la moindre reconnaissance académique.

De tout autre conséquence fut l'échec au concours pour le prix de Rome dans lequel s'engagea Saint-Saëns douze ans plus tard. En 1864, la situation avait radicalement changé pour tous les protagonistes. Le décret du 13 novembre 1863, encore modifié le 4 mai 1864, signé par Napoléon III et le maréchal Vaillant, ministre de la Maison de l'empereur et des Beaux-Arts, transférait de l'Institut de France au Conservatoire impérial de musique et de déclamation toute l'organisation du concours, en combinant tradition et nouveauté. Le concours pour la sélection du texte poétique destiné aux candidats, les genres et les mécanismes des épreuves étaient maintenus, mais la composition du jury était fondamentalement changée, dans un souci de renouvellement et de meilleure impartialité. Une liste d'une trentaine de personnalités était constituée sous la direction du surintendant général des Théâtres, alors le comte Bacciochi, sous les ordres du maréchal Vaillant. Sur les vingt-sept noms retenus, neuf jurés avaient été désignés par tirage au sort : ce furent Auber, auquel on offrit la présidence, Berlioz, Kastner, Bazin, le prince Poniatowski, Barbereau, Elwart, Duprato. Une clause du décret impérial spécifiait que les candidats, qu'ils soient ou non élèves au Conservatoire, devaient être français et âgés de quinze à vingt-cinq ans, cette dernière limite ne devant s'appliquer qu'à partir du concours de 1867. Est-ce cette réserve qui décida Saint-Saëns à s'inscrire, le dernier, *in extremis*, à la surprise générale ? Il finira par se retrouver, au concours définitif, avec quatre autres candidats qui, comme lui, avaient dépassé la limite d'âge.

Le comité-jury ayant choisi un thème de fugue proposé par Ambroise Thomas, puis, sous la direction d'Émile Perrin, directeur de l'Opéra, le livret de la cantate parmi les neuf textes retenus sur les cent vingt-huit poèmes envoyés au traditionnel concours poétique ouvert à tous, le concours pouvait se dérouler selon l'usage.

S'étant fait remplacer à l'orgue de la Madeleine par son ami Georges Schmitt, venu de Saint-Sulpice, Saint-Saëns assuma la mise en loge pour le concours d'essai, du 28 mai au 3 juin. Le jugement du 7 juin le classa, une nouvelle fois, en première place, devant Danhauser, Constantin, Lefebvre, Sieg, Ruiz, et un autre candidat, Ambroise, éliminé pour avoir remis une copie blanche. Le second séjour en loge, du 11 juin au 15 juillet, était consacré à la mise en musique d'*Ivanhoé*, fragment du roman éponyme de Walter Scott, mis en vers par Victor Roussy, employé au ministère de la Justice. L'épisode retrace un moment particulièrement dramatique : Rebecca, de religion israélite et prisonnière de Brian de

Bois-Guilbert, templier en croisade en Palestine, ne veut pas renoncer à sa religion en dépit de la supplication de Bois-Guilbert qui lui promet, en l'épousant, de la couronner reine d'un trône conquis à la fin des hostilités. Mais elle espère l'aide d'Ivanhoé, qu'elle aime en secret. Celui-ci vient provoquer Bois-Guilbert en combat singulier, tue ce dernier et est blessé lui-même, mais Rebecca recouvre son entière liberté.

La stupeur éclate lorsque, le 15 juillet, le grand prix est attribué à Victor Sieg. Un seul tour de scrutin avait suffi à régler la question ; neuf votants ; majorité, cinq. Sieg, sept voix ; Saint-Saëns, deux. Scandale ? ou, plutôt, désastre général ? Un post-scriptum ajouté au procès-verbal (pour se justifier non sans quelque embarras ?) indique :

> La cantate de M. Saint-Saëns a été classée la seconde. Pour les autres, le jury a décidé que dans aucun cas, il n'y aurait eu lieu de leur accorder un grand prix de Rome. M. Saint-Saëns, étant âgé de plus de vingt-cinq ans, un autre grand prix ne pouvait lui être attribué. Signé : Auber.

Car, cette fois, Saint-Saëns n'est plus l'étudiant de 1852. Le catalogue de ses œuvres s'était singulièrement étoffé d'œuvres instrumentales qui avaient rencontré le succès : la *Première Symphonie* en *mi* bémol n'avait-elle pas gagné – sous l'anonymat – le concours organisé en 1853 par la Société de Sainte-Cécile à Bordeaux consacré à une œuvre symphonique ; n'avait-il pas récidivé, à la même société, en 1863, avec l'*Ouverture de Spartacus* ? N'était-il pas l'auteur de deux concertos pour violon (1858 et 1859), d'un concerto pour piano (1858), d'un quintette avec piano (1855), d'une *Deuxième Symphonie* en *la* mineur (1859), sans compter de nombreuses pièces religieuses pour la Madeleine, de mélodies, toujours sur des textes de Victor Hugo, dont *La Cloche* (1855), admirable ballade... N'avait-il pas, en 1862, fait une entrée éclatante à la Société des concerts du Conservatoire en interprétant la *Fantaisie* pour piano, chœur et orchestre de Beethoven ? Et ne venait-il pas d'organiser, en février 1864, trois concerts pour y jouer chaque fois deux concertos de Mozart ? La question revenait, lancinante, sur les motifs de cette participation soudaine et tardive, voire inutile, au concours de Rome. La presse, non sans de grandes erreurs, émit des explications plus ou moins aimables. Ne serait-ce pas pour obtenir un livret à son retour de Rome et entrer ainsi dans la catégorie des auteurs d'opéras, ce qu'il n'avait jamais tenté jusqu'à présent ? On opposa Saint-Saëns et Sieg : « La cantate de M. Sieg est venu révéler autant d'imagination que la cantate de M. Saint-Saëns avait prouvé de talent. » *L'Art musical* du 21 juillet 1864 prit une position plus offensive :

> M. Saint-Saëns a écrit sa cantate avec le plein sentiment de sa force, mais, en écoutant celle de son jeune émule, M. Sieg, il a pu se convaincre qu'il ne suffit pas de savoir Bach par cœur pour écrire convenablement des œuvres destinées à la scène. Le triomphe de M. Sieg, non seulement sur M. Saint-Saëns, mais sur deux seconds prix de Rome, deux excellents artistes d'un savoir reconnu, est donc de ceux qui marqueront dans les fastes de notre Conservatoire.

Massenet, qui ne pouvait s'expliquer la décision de Saint-Saëns, écrivit à Ambroise Thomas qu'il se réjouissait du succès de Sieg (Naples, 3 août 1864). Il fallut pourtant se rendre à l'évidence : l'exécution de la cantate à l'Opéra, à la demande de Napoléon III, ne fut guère favorable au lauréat, qui ne « survécut » pas à son succès académique (*Le Ménestrel*) :

> Il fut si ému, si déconcerté, d'avoir supplanté au concours Saint-Saëns pour lequel il éprouvait une profonde admiration et dont il avait toujours écouté les œuvres avec une religiosité touchante, qu'il en garda toute sa vie, devant ses contemporains, une timidité, un trouble inconcevable. Cet involontaire triomphe le fit rester en chemin. Il produisit peu comme compositeur, se consacra à l'enseignement et peu à peu rentra dans le silence.

Auber, qui soutenait Saint-Saëns, se dédouana en lui confiant le livret du *Timbre d'argent*. Berlioz, qui l'avait combattu en cette occasion, se précipita chez lui pour lui annoncer la nouvelle de son triomphe au concours de l'Exposition universelle de 1867. Car *Les Noces de Prométhée*, cantate couronnée, devait être jouée pendant l'exposition aux frais de l'État. On comprend la fureur de Saint-Saëns lorsque l'événement n'eut pas lieu, et ne voulant pas, cette fois, se faire voler sa victoire, il finit par obtenir un dédommagement, insuffisant, car il dut ajouter quelque argent pour l'exécution de son œuvre. Les rapports avec les institutions « officielles » ne s'amélioraient pas... Ce qui s'était amélioré, c'était la qualité de l'écriture de Saint-Saëns dans ces exercices contraints. Le chœur avec orchestre, sur un poème de Jean-Baptiste Rousseau – *Ode* XV, tirée du *Psaume* CXXX « Sentiment de pénitence » – montre une maîtrise de la forme encadrant des épisodes contrastés. La cantate *Ivanhoé* offre toutes les caractéristiques de ce que sera le « système » d'écriture dramatique de Saint-Saëns, ne fut-ce que dans *Samson et Dalila* dont la composition de l'acte II va l'occuper dès 1867 : motifs récurrents alimentant une trame symphonique dense et contrastée, arabesques sinueuses à côté de thèmes mélodiques clairs, et couleurs variées dans le maniement des timbres instrumentaux.

Il n'empêche : l'échec resta certainement une blessure pour Saint-Saëns. Marie-Laure Saint-Saëns, son épouse, de leur mariage le 3 février 1875 à leur séparation en juillet 1881, fut fort étonnée de découvrir, dans la biographie de Saint-Saëns publiée par Jean Bonnerot en 1922, la tentative de 1864 : « N'y aurait-il pas erreur, écrivit-elle à Bonnerot, car, si mon mari m'a parlé du concours de 1852... il ne m'a *jamais* mentionné celui de 1864... »

Daniel-François-Esprit Auber, directeur du Conservatoire et membre de l'Académie des Beaux-Arts à l'époque des candidatures de Saint-Saëns au prix de Rome.
Musica, septembre 1910, p. 132.

33

De la mythologie à la fiction : l'évolution des livrets du prix de Rome

Julia Lu

Dès l'établissement du prix de Rome en 1803, les candidats furent tenus de mettre en musique un texte poétique conçu pour exprimer leur talent en matière de composition dramatique. Le prestige attaché à l'opéra dans la France du XIXe siècle était tel que le genre fut longtemps considéré comme le pinacle des études de l'apprenti compositeur. Les concurrents n'ayant que 25 jours pour composer leur « scène dramatique » (souvent appelée « cantate »), le livret prescrit était naturellement de dimensions limitées et ne comportait que les ingrédients de base de l'opéra. Le règlement fondateur du prix stipule que l'œuvre devait être constituée « d'un récitatif obligé, d'un cantabile suivi d'un récitatif simple et terminé par un air de mouvement d'un caractère prononcé ». En outre, jusque dans les années 1830, le livret met en scène un personnage unique (exception faite pour les textes de 1809, 1816 et 1822), ce qui imposait certaines restrictions aux possibilités dramatiques de l'ouvrage. Toutefois, à partir de 1831, les librettistes expérimentent de plus en plus des arguments à deux personnages, jusqu'à ce qu'il soit officiellement stipulé, en 1839, qu'à l'avenir toutes les cantates devraient comporter trois protagonistes. Selon le nouveau règlement :

> La scène lyrique devra être à trois voix, une de soprano, une de ténor et l'autre de basse. Elle comprendra un ou deux airs, un duo et un trio, dont une partie devra, autant que le sujet le comportera, être sans accompagnement, sans compter les récitatifs qui serviront à lier entre elles ces diverses parties.

La responsabilité de trouver un livret convenable pour le concours était confiée aux membres musiciens de l'Académie des beaux-arts, qui sollicitaient souvent leurs collègues et amis écrivains. Il arrivait que des individus soumettent des textes de leur propre chef, peut-être dans l'espoir de se concilier les bonnes grâces de l'Institut et d'être un jour élus académiciens. Durant le Premier Empire, les trois principaux rédacteurs de livrets furent Arnault, Bins de Saint-Victor et De Jouy, aujourd'hui surtout connus pour leur collaboration avec des compositeurs comme Méhul, Cherubini, Spontini et Rossini. Deux autres écrivains – Vieillard et Vinaty – se répartirent la charge de la plupart des textes du prix de Rome sous la Restauration. Entre 1831 et 1845, le marquis de Pastoret (1791-1857), membre libre de l'Académie des beaux-arts, fournit à lui seul pas moins de neuf textes. Comme ce système d'obtention des livrets dépendait de la bonne volonté de quelques individus, les académiciens éprouvèrent certaines difficultés à trouver chaque année un texte approprié. Henri-Montan Berton, académicien de la section de musique, n'a probablement écrit *Orphée* pour le concours de 1827 qu'en raison du manque de texte convenable cette année-là. De même, l'année suivante, le fait que l'Académie des beaux-arts ait dû ressusciter un ouvrage vieux de plus de dix ans (l'*Herminie* de Vieillard, de 1813) est une autre indication de la probable pénurie de livrets durant cette période.

Une solution fut finalement proposée en 1845, lorsqu'un legs financier de feu M. Deschaumes permit la création d'un concours de poésie pour le prix de Rome. Ouvert à tous – la récompense consistant en une médaille d'une valeur de 500 francs –, ce prix avait non seulement résolu un problème récurrent, mais il accrut aussi considérablement les types de livrets proposés à la sélection. En 1864, par exemple, le texte d'*Ivanhoé* sur lequel œuvra Saint-Saëns fut choisi parmi un éventail de près de 130 propositions, celles-ci démontrant l'intérêt suscité par le concours.

On a généralement prétendu que les livrets du prix de Rome étaient pour l'essentiel tirés de sujets antiques, puisque les cantates les plus connues, comme celles de Berlioz (*Orphée*, *Cléopâtre*, *Sardanapale*), de Debussy (*Le Gladiateur*) et de Ravel (*Myrrha*, *Alcyone*) laissent supposer cette tendance. Or, à un moment donné de l'histoire du concours, les sujets antiques disparurent quasiment. En fait, la cantate victorieuse de Berlioz – *Sardanapale* (1830) – peut être envisagée comme marquant le terme de la phase « antiquisante » du prix de Rome, tandis que la décennie suivante correspond au début d'une période qu'on peut raisonnablement qualifier de « romantique ». Entre 1803 et 1830 compris, on dénombre 24 livrets originaux, dont 13 tirés de la mythologie antique, 5 de l'histoire moderne, 4 de la fiction, 1 de la Bible et 1 de la légende ou du folklore non antique. Au cours des 24 années qui ont suivi, le nombre de cantates inspirées par l'Antiquité chute brutalement à 2, tandis que celles dont le sujet est emprunté à la fiction passent à 13. Les ouvrages tirés de l'histoire moderne, en légère diminution, passent de 5 à 4, et ceux à sujets légendaires ou folkloriques augmentent de 1 à 4.

Ces changements remarquables sont évidemment causés par le mouvement romantique, lequel transforme le paysage lyrique à partir des années 1820. La littérature devait désormais refléter la réalité contemporaine, et les sujets tirés de la mythologie antique perdent progressivement toute résonance auprès des lecteurs et des spectateurs modernes. Dans leur quête de remplacement du répertoire gréco-romain, si longtemps promu par les classiques comme modèle d'admiration et d'émulation, les romantiques proposent plusieurs options. L'une est l'histoire d'un passé plus récent. Le Moyen Âge, en particulier, offre une source d'inspiration au fur et à mesure qu'il perd l'image entretenue naguère d'une époque de sauvagerie et de vulgarité. Les romantiques reconnaissent des qualités d'héroïsme, de vaillance, de loyauté et d'honneur à la culture médiévale, grâce à l'influence de deux ouvrages fondamentaux parus au début du XIXe siècle. Dans le premier, *Le Génie du christianisme* (1802), Chateaubriand magnifie le Moyen Âge en tant qu'« âge de foi », insistant sur les valeurs morales de la chevalerie, dans lesquelles il perçoit une incarnation idéale du christianisme. Dans le second, *De l'Allemagne* (1810), Mme de Staël examine l'impact de l'influence germanique sur la culture médiévale et moderne, insistant sur l'importance du christianisme et de la chevalerie comme sources d'une nouvelle littérature romantique. Dans l'un et l'autre ouvrage, le thème du christianisme est indissolublement lié à la nature de la société moderne – idée développée plus avant dans la préface de *Cromwell* d'Hugo. Selon le modèle hugolien des trois âges de l'histoire mondiale (à savoir les temps primitifs, l'Antiquité et l'ère moderne), l'âge moderne est justement lié à l'apparition du christianisme. Avec l'avènement d'une « nouvelle religion » et d'une « société nouvelle » – affirme Hugo – « il faut que nous voyions grandir une nouvelle poésie ».

La variété de thèmes offerte par le Moyen Âge séduit bon nombre d'écrivains, de dramaturges et de librettistes du XIXe siècle, qui explorèrent aussi d'autres périodes de l'histoire. Parmi les livrets du prix de Rome imposés entre 1831 et 1864, on trouve des titres comme *Bianca Capello* (1831), *Marie Stuart et Rizzio* (1837), *Lionel Foscari* (1841), *Francesca de Rimini* (1854), *Clovis et Clotilde* (1857) ou *David Rizzio* (1863). Si l'intrigue de ces ouvrages demeure relativement fidèle aux événements historiques, il en est d'autres dans lesquels l'histoire ne sert que d'arrière-plan à des constructions plus fantaisistes. Comme maint grand opéra de l'époque, plusieurs livrets du prix de Rome font allusion à des personnages ou à des événements réels, mais les enveloppent d'une intrigue tissée de toutes pièces et largement enjolivée. En 1840, par exemple, *Loÿse de Montfort* d'Émile Deschamps et Émilien Pacini s'inspire de l'histoire de Mme de Lavalette (qui avait aidé son mari à s'échapper de la Conciergerie en 1815), mais transpose l'action au temps d'Henri IV. De même, en 1851, *Le Prisonnier* d'Édouard Monnais rappelle l'expérience carcérale de l'écrivain italien Silvio Pellico (1789-1854), mais recentre l'intrigue sur les amours inventées entre Pellico et une prisonnière.

Ce type de mélange entre fiction et histoire était fréquent au théâtre, mais sa popularité doit alors beaucoup au succès du roman en tant que genre. À la recherche d'une littérature à l'écoute de la société de leur temps, les romantiques insistent sur l'importance du « réalisme » dans la représentation des personnages, des lieux et des événements. À cette fin, le potentiel réaliste de la fiction se révèle séduisant. La fiction en prose bénéficie des progrès techniques de l'industrie de l'impression et de la nouvelle économie bourgeoise, alors que la production littéraire de masse à coût réduit, venant s'ajouter à l'accroissement d'environ 30% de la population française entre 1800 et 1850, se traduit par un public singulièrement élargi. Traditionnellement tenu pour léger et frivole, le roman se hausse au rang de la poésie et du théâtre alors même que les lecteurs commencent à apprécier ses capacités multiples à aborder un vaste répertoire de sujets. Les statistiques montrent qu'à la fin de la Restauration, la proportion des recueils de vers publiés est à peu près de deux pour un par rapport au roman (463 contre 237). En 1850, en revanche, le nombre de romans publiés en France dépasse le millier, comparé à deux ou trois cents ouvrages de poésie.

L'augmentation spectaculaire du nombre de sujets fictifs dans les livrets du prix de Rome après 1830 peut s'interpréter comme s'inscrivant dans cette plus large appréciation de la fiction. Les librettistes écrivent de plus en plus des histoires originales plutôt que de puiser dans le réservoir de la mythologie antique. Un individu en particulier a œuvré pour mettre les livrets du concours au diapason des derniers développements de la littérature romantique. Comme déjà dit, le comte (plus tard marquis) Amédée-David de Pastoret a fourni neuf textes durant la période précédant immédiatement la création du concours de poésie du prix de Rome. Parmi ces ouvrages, deux appartiennent à la catégorie de l'histoire récente, trois à celle du folklore et de la légende, et quatre adoptent la forme d'une fiction originale. Les livrets appartenant à cette dernière catégorie montrent que Pastoret connaissait parfaitement les thèmes et les types de personnages prisés à l'époque : ils traitent en effet des tensions raciales et religieuses (*Fernand*, 1839 ; *Le Renégat de Fez*, 1844) ou mettent en scène des rebelles de basse extraction (*Le Contrebandier espagnol*, 1833). Le recours au genre de la fiction accorde aux librettistes une liberté absolue pour traiter de questions et de thèmes qui, non seulement concernent la société contemporaine, mais qui peuvent aussi être intéressants et distrayants. En fait, si l'on compare les sujets prescrits aux concurrents du prix de Rome en musique, en peinture et en sculpture, on s'aperçoit que la musique est de loin la discipline la plus progressiste durant cette période. Tandis qu'on continue d'exiger des candidats en peinture et en sculpture qu'ils produisent des œuvres tirées de sujets antiques ou bibliques, les étudiants en musique traitent de personnages aussi divers que des gens ordinaires (*Hermann et Ketty*, 1832 ; *Le Rocher d'Appenzell*, 1853), des fées et des sorciers (*La Reine Flore*, 1842 ; *Le Chevalier enchanté*, 1843), des artistes et écrivains (*Vélasquez*, 1846 ; *Le Prisonnier*, 1851), des rois, des reines, des princesses, des sultans et des tsars (*Emma et Eginhard*, 1850 ; *Clovis et Clotilde*, 1857 ; *Bajazet et le joueur de flûte*, 1859 ; *Le Czar Ivan IV*, 1860), etc. Si l'Antiquité et les temps bibliques n'ont pas totalement disparu du répertoire, ils ne constituent néanmoins qu'une portion réduite d'un vaste éventail de sujets proposés aux candidats.

De nombreux librettistes du prix de Rome s'inspirent aussi de romans populaires à l'époque, comme le montrent les cas de *Velléda* (1836, tiré des *Martyrs* de Chateaubriand), d'*Imogine* (1845, tiré du *Moine* de Lewis), du *Retour de Virginie* (1852, tiré de *Paul et Virginie* de Bernardin de Saint-Pierre), d'*Atala* (1861, tiré de l'*Atala* de Chateaubriand) et d'*Ivanhoé* (1864, tiré de l'*Ivanhoe* de Walter Scott), etc. Le choix de ce dernier n'est nullement indifférent, car il découle de l'importante transformation qu'a connue le prix de composition au cours des années 1830. À vrai dire, les romans de Walter Scott ont joué un rôle clef dans le succès extraordinaire du roman historique qui est devenu un genre romantique par excellence. Introduits en France à partir de 1816, les romans de Scott s'étaient rapidement emparés de l'imagination des lecteurs. En 1824, le nombre des éditions françaises de l'écrivain s'élève à 200 000 volumes, tandis qu'en 1840 il atteint deux millions. La sensation produite par ces romans a été relevée par George Saintsbury, lequel remarque qu'« en l'espace de quelques années toute l'Europe lisait avec passion des romans historiques et une proportion extrêmement élevée de la population littéraire de l'Europe s'affairait à en écrire ». Combinant l'histoire et la fiction, le genre du roman historique offre aux lecteurs ce que Sarah Mombert décrit comme un « attrait double », comportant des éléments de « reconnaissance » (c'est-à-dire historiques) et de « surprise » (c'est-à-dire de fiction originale). La période médiévale (caractérisée par des rivalités de factions entre systèmes féodaux, les aventures du chevalier errant, les douleurs de la crise morale et l'esprit chevaleresque et galant) confère au genre un arrière-plan idéal. La popularité de Scott fut telle que l'historien Jerome Mitchell a identifié quelque cinquante opéras du XIXe siècle tirés de ses romans, parmi lesquels *La Donna del lago* (1819), *Ivanhoé* (1826) et *Robert Bruce* (1846) de Rossini ; *Marie Stuart en Écosse* (1823) de Fétis ; *Leicester ou Le Château de Kenilworth* (1823) et *La Muette de Portici* (1828) d'Auber ; *La Dame Blanche* (1825) de Boieldieu ; *Le Caleb de Walter Scott* (1827) et *Richard en Palestine* (1844) d'Adam ; *I Puritani* (1835) de Bellini ; *Le Nozze di Lammermoor* (1829) et *La Prison d'Édim-*

bourg (1833) de Carafa ; *Elisabetta al Castello di Kenilworth* (1829) et *Lucia di Lammermoor* (1835) de Donizetti ; *La Jolie Fille de Perth* (1867) de Bizet – pour n'en citer que quelques-uns.

L'adaptation d'*Ivanhoe* de Scott par Victor Roussy pour le concours du prix de Rome en 1864 reflète l'influence persistante des romans de l'écrivain anglais. Le livret présente l'instant où le destin de Rebecca va être scellé par le combat entre Ivanhoé et Bois-Guilbert, et l'intrigue commence au moment où Rebecca, seule dans la cellule de sa prison, est tourmentée à l'idée de l'épreuve qu'elle va subir. Sur ces entrefaites, Bois-Guilbert survient et lui promet de l'arracher à la mort si elle accepte son amour. Mais Rebecca refuse. Alors même que l'espoir s'amenuise pour elle, Ivanhoé apparaît et provoque Bois-Guilbert en duel pour la sauver. Par la fenêtre de son cachot, Rebecca observe anxieusement le combat. Finalement, Bois-Guilbert succombe ; Ivanhoé et Rebecca unissent leurs voix pour exalter Dieu dans la prière.

Si le livret de Roussy est le premier texte pour le prix de Rome entièrement tiré du roman de Scott, ce n'est pas la première fois qu'il était fait allusion à *Ivanhoe* dans le cadre du concours. En 1834, le livret (un des plus originaux) de Jean-François Gail, *L'Entrée en loge*, n'avait d'autre thème que l'histoire d'un candidat imaginaire au prix de Rome, enfermé sous clé dans sa loge et passant alternativement de l'espoir au désespoir à l'idée de remporter ou non le concours. Or, le texte que le candidat fictif doit mettre en musique est – bien que cela ne soit pas explicite – l'*Ivanhoe* de Scott. Les références à Rebecca et à Front-de-Bœuf laissent entendre que ces personnages étaient suffisamment familiers à l'époque pour qu'il ne fût pas nécessaire de mentionner l'œuvre dont il était question. En même temps, l'adoption du roman de Scott comme sujet de livret imaginaire montre que le concours était parfaitement en phase avec les tendances et les préférences du public en général. Compris dans le contexte de l'évolution de la littérature romantique et de celle des livrets du prix de Rome, le choix de l'*Ivanhoé* de Roussy comme sujet du concours de 1864 n'est guère surprenant. Qu'il ait reçu l'accord des membres musiciens de l'Académie des beaux-arts montre que le prix de composition était moins rigide et tourné vers le passé qu'on le croit généralement, et que l'esthétique véhiculée par le concours était finalement ouverte au changement et aux influences contemporaines.

Saint-Saëns reçu à Compiègne lors de la mise en loge des candidats au prix de Rome de 1910.
Musica, juillet 1910, p. 108.

Camille Saint-Saëns, témoignages sur le prix de Rome

Marie-Gabrielle Soret

L'attitude de Saint-Saëns vis-à-vis du prix de Rome est aussi complexe et ambiguë que ses rapports avec l'Institut. Sa propre expérience s'est avérée malheureuse, puisqu'il échouera deux fois au concours. Quelques années plus tard, ses articles dans la presse chercheront, non pas à remettre en cause l'existence même du prix, mais, à travers son organisation, à stigmatiser l'attitude des institutions à l'égard des lauréats.

En août 1852, Saint-Saëns tente pour la première fois le concours du prix de Rome. La cantate au programme est *Le Retour de Virginie*, sur un poème d'Auguste Rollet. Léonce Cohen remporte le premier prix et Ferdinand Poise obtient le second. Rien n'explique que Saint-Saëns ne se soit pas représenté immédiatement, et c'est seulement douze ans plus tard qu'il va tenter une nouvelle fois l'épreuve, en mai 1864. Il est alors organiste à la Madeleine, l'une des paroisses les plus prestigieuses de Paris, sa réputation de pianiste et d'organiste virtuose a dépassé les frontières et il a déjà plusieurs œuvres de poids à son catalogue : ce n'est donc plus un débutant qui se présentera pour concourir avec la cantate *Ivanhoé*, sur un poème de Victor Roussy. Mais cette fois encore, nouvel échec. C'est Victor Sieg qui remporte le prix. Berlioz, membre du jury, refuse sa voix à Saint-Saëns et aurait alors déclaré : « Il sait tout, mais il manque "d'inexpérience". »

Il reste cependant difficile d'expliquer pourquoi Saint-Saëns a attendu douze ans entre ses deux tentatives malheureuses. Dans l'intervalle, plusieurs de ses amis avaient obtenu le prix : Georges Bizet, Ernest Guiraud, Théodore Dubois et son rival Jules Massenet, l'année précédente. L'explication la plus vraisemblable à ce deuxième essai tardif est que Saint-Saëns ne se satisfaisait pas de sa réputation d'interprète. Il voulait être reconnu comme compositeur à part entière et, malgré quelques œuvres solides et leur bon accueil au concert, l'accès à la scène lyrique lui était encore fermé. Or, la seule voie qui s'offrait à lui pour y parvenir était l'obtention du prix de Rome. Le succès n'était pas garanti aux détenteurs de ce précieux sésame, mais il était encore plus difficile à ceux qui n'en étaient pas pourvus.

> On essaya d'intéresser à mon sort une belle princesse, protectrice des arts. « Comment, répondit-elle, il n'est pas content de sa position ? Il joue de l'orgue à la Madeleine, du piano chez moi ; cela ne lui suffit pas ? » Non cela ne me suffisait pas, et pour briser les obstacles, je fis un esclandre ; à vingt-huit ans, je concourus pour le prix de Rome.

La « belle princesse » est la princesse Mathilde, cousine de Napoléon III, dont Saint-Saëns était l'un des pianistes accompagnateurs attitrés des séances musicales fort courues qu'elle donnait dans son salon. Cette remarque prouve bien que l'obtention du prix de Rome représentait pour lui un levier, un moyen de sortir de la condition d'interprète dans laquelle il se trouvait enfermé.

De ses deux échecs au concours, il conservera naturellement une certaine amertume. Il affirmera plus tard, sous forme de boutade, que le prix ne lui fut pas attribué « sous prétexte qu'il n'en avait pas besoin ». Il avait depuis longtemps en tête *Samson et Dalila*, et atteindra la scène lyrique par d'autres voies.

Dès l'avènement de la Troisième République, Saint-Saëns va commencer à s'exprimer dans la presse, alors en plein essor. Il a très vite compris tout le parti qu'il pouvait en tirer pour faire largement passer ses idées et ses convictions. Il tiendra cette position jusqu'à sa mort, en 1921, utilisant ainsi les journaux pendant plus de cinquante années, y déversant louanges, critiques, opinions, souvenirs, sous les formes les plus variées, au travers de feuilletons, chroniques, billets d'humeur, envois de lettres, réponses à des enquêtes et des interviews… et en y abordant des sujets aussi divers qu'inattendus. Le prix de Rome y est une de ses préoccupations.

Sur la nature du concours lui-même, Saint-Saëns s'exprime peu, si ce n'est pour souligner le fait que le cours de composition du Conservatoire vise uniquement à la préparation du prix de Rome, qui est en fait un prix de musique dramatique. Il n'existe pas véritablement au Conservatoire de concours proprement dit pour les élèves des classes de composition, en dehors des prix de contrepoint et de fugue. En 1896, Saint-Saëns s'était engagé et avait pourtant émis devant le Conseil supérieur du Conservatoire des propositions visant à créer un prix de composition musicale indépendant du prix de Rome, un concours distinct, ouvert seulement aux élèves du Conservatoire et entièrement supervisé et réglementé par cette institution. La proposition fut ajournée, et le fut une nouvelle fois en 1899, Théodore Dubois la jugeant pratiquement impossible à réaliser et très discutable. Le prix de Rome décerné par l'Institut reste donc le seul moyen pour les élèves compositeurs de couronner leurs études et pour leurs professeurs d'asseoir leur notoriété. Mais une fois à la villa Médicis, les élèves sont tenus à des envois et Saint-Saëns regarde toujours d'un œil attentif les productions de ses jeunes confrères. Il en critique souvent la qualité et égratigne au passage le laisser-aller de l'administration, par exemple dans cet extrait d'un article publié dans *La Renaissance littéraire et artistique* du 3 août 1873 :

> Depuis longtemps, la section musicale de l'École de Rome donnait un spectacle navrant. Les envois étaient insignifiants ou nuls, et il était tout simple qu'il en fût ainsi. Le programme imposé aux élèves était absurde. Croirait-on qu'il y figurait un opéra bouffe italien ! Quoi d'étonnant

> à ce que les élèves aient laissé tomber en désuétude un programme qui leur imposait un travail inutile, rebutant et ridicule, et aient fini par s'affranchir de toute contrainte, envoyant n'importe quoi ou n'envoyant rien du tout ? L'administration manquait de sévérité ; elle avait vaguement conscience de ses torts.

Mais, dans le même temps, Saint-Saëns absout les élèves en expliquant que la vacuité du programme et l'impossibilité pour les œuvres d'arriver aux oreilles du public ne constituent pas un stimulant pour ces jeunes créateurs. Il englobe souvent ses critiques dans une réflexion plus vaste sur le métier de compositeur et dénonce les conditions qui sont faites aux lauréats après leur retour de Rome. Les artistes des autres disciplines jouissent d'un traitement beaucoup plus favorable, s'affichent au Salon, dans des expositions publiques, alors que les travaux des musiciens restent confidentiels et ne leur offrent aucune perspective de carrière :

> Les peintres, les sculpteurs, les architectes, les graveurs savent que leurs œuvres seront exposées, discutées, commentées de toutes façons par le public et par la presse. Les musiciens écrivent pour une commission qui lit leurs œuvres et fait un rapport ; c'est tout. Aux autres l'intérêt et souvent le succès, aux musiciens l'oubli, le silence, le néant ! En vérité, la balance est trop inégale. En donnant le prix de Rome aux musiciens, en les obligeant à faire des envois, l'administration s'engage moralement à seconder leurs efforts, à faire arriver leurs œuvres jusqu'au public au même titre que celles des peintres, sculpteurs, architectes et graveurs. Pourquoi ne le fait-elle pas ? D'abord, parce qu'elle ne le fait pas, ce qui est souvent la meilleure raison ; ensuite, parce que cela nécessiterait des dépenses. Mais c'est justement parce que l'exécution des œuvres musicales est dispendieuse que l'administration des Beaux-Arts doit s'en charger.

Dans un article du *Voltaire* de janvier 1880, Saint-Saëns tente à nouveau d'attirer l'attention des institutions sur le sort du malheureux compositeur de retour en France, qui constate que « son séjour dans la Ville éternelle n'a servi qu'à le faire oublier, en supposant qu'on le connût déjà ». Il lui faut de nouveau travailler à se faire un nom, « frapper à toutes les portes, essuyer des rebuffades, ou chercher à attirer lui-même le public autour de ses œuvres, ce qui, comme on sait, est presque impraticable ». Le musicien est « condamné à écrire des partitions qu'il sait ne devoir jamais être exécutées ».

Saint-Saëns ne cesse de déplorer cette absence de débouchés pour les lauréats dont beaucoup tombent dans l'oubli. Mais au-delà du triste sort réservé aux jeunes compositeurs, il voit aussi dans cette inertie des institutions, un obstacle à la diffusion du répertoire de la jeune école française qu'il a à cœur de défendre. Et comment conquérir un nouvel auditoire s'il n'a jamais l'occasion de se former le goût au contact d'œuvres nouvelles ? D'une part, la préparation de l'audition des œuvres envoyées par les pensionnaires de la villa Médicis, réalisée avec le concours des élèves du Conservatoire, serait pour ces derniers un exercice de premier ordre, d'autre part, les auditions publiques seraient pour le public une porte ouverte vers un répertoire nouveau, l'occasion de découvrir des talents naissants qu'il irait ensuite plus volontiers réécouter au concert. Et, au-delà des critiques, Saint-Saëns propose des solutions :

> D'ailleurs, ce qui serait dispendieux pour l'artiste ne le serait nullement pour l'État. Les moyens d'exécution ne manquent pas. Il y a d'abord la Société des concerts, qui ne se refuserait certainement pas à un service d'intérêt public ; il y a l'Opéra, à qui l'on pourrait demander une complaisance en retour des 800 000 francs qu'on lui donne. Enfin, il y a la phalange vocale et instrumentale des élèves du Conservatoire, qui, dirigée par l'auteur, donnerait une exécution convaincue, vivante, pleine de la sève de la jeunesse, douée certainement d'un charme spécial. Les compositeurs apprendraient ainsi à diriger les masses ; les masses apprendraient à connaître les compositeurs, et le public se passionnerait à coup sûr pour ces manifestations annuelles.

En 1880, Saint-Saëns relève cependant qu'Ambroise Thomas, directeur du Conservatoire, a fait de louables efforts pour organiser une audition des œuvres de lauréats, mais cela reste encore largement insuffisant.

> Mettre quelque chose où il n'y avait rien, c'est excellent ; mais ce n'est pas assez. Quelques fragments exécutés sans répétitions suffisantes devant un petit auditoire d'invités, exécutés une seule fois, qu'est cela auprès de l'exposition du palais des beaux-arts à laquelle est convié le public tout entier ? C'est d'une insuffisance lamentable.

Malgré la bonne volonté des uns et des autres, les effectifs de l'orchestre sont trop maigres, les répétitions en nombre insuffisant et l'unique exécution en devient presque symbolique. L'œuvre n'est connue du public que par le compte rendu de presse de cette seule audition. De plus, les œuvres ne sont pas toujours données dans leur intégralité, ce qui suscite aussi l'indignation de Saint-Saëns qui réclame l'organisation de deux concerts au lieu d'un seul si les œuvres sont trop longues : « Cet effort qui n'est pas au-dessus des forces humaines mettrait tout simplement les musiciens sur le même pied que les peintres qui sont admis à exposer des tableaux tout entiers et non des fragments de tableaux. » Et Saint-Saëns, sur le modèle de ce qu'il a pu voir et entendre au conservatoire de Vienne, et autrefois au Conservatoire de Paris « du temps où florissaient les exercices dramatiques dans lesquels on représentait des opéras », propose l'organisation de séances publiques hebdomadaires afin que l'on puisse entendre tous les envois des lauréats, dans leur intégralité, et non pas seulement les fragments des ouvrages envoyés la dernière année. Le public serait admis moyennant une faible contribution et les œuvres seraient données plusieurs fois, condition indispensable pour en assurer la promotion. Et il conclut ses propositions par une note qui se veut optimiste : « Rien n'est plus simple et le vingtième siècle verra probablement cette réforme s'accomplir. »

Élu à l'Institut en 1881, Saint-Saëns est membre du jury du prix de Rome à de nombreuses reprises. Bien qu'il affecte de « détester les

Conservatoires et les Académies », où il ne voit « que de l'ennui et du temps perdu, que ne compensent pas les petites satisfactions de vanité qu'on en peut retirer » – ainsi qu'il le confie à son éditeur et ami Auguste Durand dans une lettre du 1er décembre 1878 –, il tient cependant beaucoup à cette distinction. Il va jusqu'à organiser ses voyages et ses tournées de concerts en fonction des périodes où les examens et les concours rendent sa présence à Paris et à Compiègne indispensable. Lorsqu'il est à l'étranger, la date du concours de Rome est « le grand régulateur de son retour ». On le voit même faire des aller et retour entre Paris et Genève pour prendre part au jugement du concours, tâche qu'il juge à la fois « honorifique et horrifique ». En 1895, il est à Saïgon et renonce à prolonger son voyage jusqu'au Japon, ce dont il rêvait pourtant depuis longtemps, pour ne pas manquer les épreuves préparatoires du prix de Rome.

En 1901, il est président de l'Académie des beaux-arts et c'est à ce titre qu'il prononce le discours d'ouverture de la séance publique annuelle des cinq académies. Il s'adresse donc aux lauréats qui vont partir à Rome.

> Vous partez, jeunes gens ; vous êtes heureux de quitter l'école ; mais, croyez-moi, vos études ne sont pas finies : elles commencent. Vous allez connaître la grande éducation, celle que chacun doit un jour se donner à lui-même. Comme l'abeille qui butine dans toutes les fleurs pour faire son miel, vous allez étudier tous les styles, faire votre choix, et des matériaux que vous aurez recueillis bâtir votre style propre. Ne faites pas ce choix sans discernement ; étudiez tout, comparez avec impartialité, ne vous laissez pas entraîner trop loin dans un sens ou dans l'autre ; ne cherchez pas à être modernes, ce qui est le plus sûr moyen de vieillir vite ; restez vous-mêmes, restez Français. [...] Vous ferez de l'art moderne parce que vous êtes jeunes, vous ferez de l'art français parce que vous êtes Français ; et vous enrichirez de nouveaux fleurons la belle couronne qui brille au front de notre chère patrie.

En octobre 1904, la presse annonce comme certaine la nomination du compositeur à la direction de la Villa Médicis, en remplacement d'Eugène Guillaume, démissionnaire. Saint-Saëns est le candidat le mieux placé, devant le sculpteur Barrias, l'architecte Bernier et le peintre Carolus-Duran. Cette nomination devait réjouir les musiciens puisque c'était la première fois que l'un des leurs était appelé à la direction de l'Académie de France à Rome. S'il est flatté d'avoir été sélectionné, il hésite cependant et finit par refuser cet honneur sous le prétexte que sa santé fragile ne supporterait pas la rigueur des hivers romains, et que ses déplacements fréquents vers des cieux plus cléments pourraient nuire à la bonne gestion que l'Académie serait en droit d'attendre de lui. Plus vraisemblablement, il souhaite préserver une liberté indispensable à sa carrière d'interprète. Mais il continuera jusqu'à la dernière année de sa vie, malgré son grand âge et sa mauvaise santé, à siéger dans les jurys et les commissions pour le prix, à se rendre à Compiègne pour « coffrer » les concurrents, par conviction, pour maintenir l'Académie dans son rôle de gardienne des traditions et du bon goût.

Vue intérieure de l'église de la Madeleine.
Collection particulière.

La musique religieuse sous le Second Empire

Rémy Campos

Alors que la pratique religieuse était déjà en recul depuis plusieurs décennies, la Révolution porta un coup sérieux à l'Église de France en proclamant la dissolution des congrégations, en poussant la plupart de ses prêtres à l'exil ou encore en adoptant un calendrier républicain. Diminuée par une politique anticléricale, l'Église fut aussi éprouvée dans ses pierres. Beaucoup de lieux de culte n'avaient en effet plus été entretenus ou avaient été démantelés à la suite de leur vente comme biens nationaux. Le Concordat voulu par Bonaparte en 1801 mit fin à cette période d'hostilités ouvertes. Passé l'Empire, des régimes plus favorables à la religion laissèrent libre cours, quand ils ne la soutinrent pas, à une entreprise assez systématique de reconquête des territoires et des esprits.

Tout au long du XIXe siècle, la France se couvrit d'églises nouvelles. La fièvre bâtisseuse qui saisit les paroisses dès la monarchie de Juillet et qui culmina avec la construction de la cathédrale de Marseille (commencée en 1852, elle ne fut achevée qu'en 1893) était la partie la plus visible de l'offensive lancée par les élites catholiques pour rechristianiser la France. La musique fut directement concernée puisqu'en multipliant les temples, on multiplia aussi les orgues et qu'on tenta de reconstituer les maîtrises dissoutes au cours de la Révolution et de relever la musique liturgique en général.

L'industrialisation de la facture stimula le renouvellement du parc instrumental. De grandes maisons virent le jour (celles dirigées par Aristide Cavaillé-Coll ou Joseph Merklin sont les plus célèbres) qui fournirent cathédrales et édifices religieux de toutes tailles en orgues toujours plus innovants. Les buffets, en général néogothiques, se dénombraient par centaines. On les inaugurait à grand renfort de publicité dans des concerts où l'on entendait des chapelets d'improvisateurs, parisiens comme Louis-James-Alfred Lefébure-Wély, Édouard Batiste, Renaud de Vilbac ou Georges Schmitt, et parfois belge comme Nicolas Lemmens.

Les perfectionnements techniques (on pense en particulier à la machine pneumatique de Barker qui allégeait le toucher) permettaient de concevoir des instruments monumentaux qui trônaient souvent dans les Expositions universelles avant d'être remontés sur les tribunes auxquelles ils étaient destinés. L'heure était au gigantisme. Cavaillé-Coll achève en 1862, pour l'église Saint-Sulpice à Paris, un orgue de cent jeux dans le ventre duquel il aménage à destination des visiteurs de petits balcons surplombant des forêts de tuyaux. L'instrument est confié à l'un des meilleurs organistes de l'époque qui est par ailleurs le plus fervent défenseur de la firme Cavaillé-Coll...

Dans le monde des musiques liturgiques, les nouveautés se succèdent à un rythme effréné. C'est d'abord, à partir des années 1840, l'adoption des orgues de chœur. Posés à même le sol des églises, ils permettent de soutenir les chantres ou les ecclésiastiques chantant le plain-chant depuis le chœur de l'église. Pendant des siècles, les mélodies avaient été embellies en alternant les versets avec de brèves interventions de l'orgue, en ajoutant quelques ornements ou grâce à la mise en contrepoint selon la technique improvisée dite du « chant sur le livre ». Désormais, les paroisses entendent disposer du confort moderne, c'est-à-dire de mélodies dûment harmonisées – ce qui ne fut pas d'ailleurs sans déclencher d'interminables débats sur le « taux » de modalité souhaité ou tolérable (le traité de Niedermeyer et d'Ortigue (1857) donna le ton à ce sujet jusqu'à la fin du siècle).

Parallèlement, l'usage de l'harmonium se généralise. Assez puissant pour remplir une vaste nef, mais bien moins coûteux qu'un grand orgue de tribune, il connaît un immense engouement dans les paroisses, engouement dont témoigne la quantité d'instruments naufragés que l'on rencontre aujourd'hui encore dans tant d'églises. Les facteurs rivalisent d'ingéniosité pour faciliter l'exécution aux musiciens amateurs qui se voient de plus en plus fréquemment confier l'accompagnement de la messe sur l'harmonium : claviers transpositeurs permettant de jouer dans tous les tons sans changer ses doigtés, innombrables systèmes d'expression aidant à imiter le chant, etc.

Dans le sillage de la fortune commerciale de ces instruments, une littérature nouvelle vit le jour. Tandis que l'harmonisation du plain-chant était improvisée par les musiciens de métier, les amateurs recoururent très vite à des recueils imprimés qui leur évitaient des années d'apprentissage. Pour l'harmonium, les éditeurs intégrèrent à leurs catalogues des méthodes et des pièces inédites ou des transcriptions destinées à constituer un répertoire pour le nouvel instrument. Ainsi, l'organiste Léon Roques arrangea pour la maison Choudens les opéras de Bizet ou ceux de Gounod dont les mélodies les plus célèbres étaient découpées en préludes, communions ou sorties.

Le recours à du matériau musical emprunté à des œuvres à la mode suscite alors des discussions sans fin. La question de la sainteté des œuvres liturgiques était un vieux débat, mais elle se pose au XIXe siècle dans des termes nouveaux. Lorsque François-Joseph Fétis publie en 1856 le célèbre article où il dénonce de façon provocante la « musique érotique à l'église », le musicographe s'en prend aux improvisateurs (Lefébure-Wély est le premier visé) attirant les fidèles en flattant leur appétit de mélodies séduisantes ou d'effets sonores comme les imitations d'orages alors très répandues. On sait aujourd'hui que la virulence des propos de Fétis était en bonne part motivée par un obscur conflit qui l'opposait à Lefébure-Wély à propos de commissions sur les ventes d'orgue en Belgique. Au-delà du règlement de compte, l'originalité de l'article était de proposer aux organistes des modèles anciens comme parangon de la musique liturgique moderne.

Les compositions de Palestrina et de Bach s'imposent à cette époque comme des exemples indépassables de musique vocale pour le premier et instrumentale pour le second. Le discours sur la moralisation du répertoire intègre naturellement ces inspirations à la fois sérieuses et vénérables. Nombre de créateurs iront même jusqu'à renoncer aux langues contemporaines pour plier leur plume aux pastiches et aux tournures anciennes. Dès la deuxième moitié du siècle, les messes en style palestrinien se multiplient de Charles Gounod à Théodore Dubois. Passé le *motu proprio* de 1903 qui affirmera pour toute la chrétienté la primauté de la polyphonie vocale de l'époque du concile de Trente (Palestrina, Victoria, etc.) et du chant grégorien fraîchement restauré par Solesmes, nombreux seront les compositeurs qui intègreront à leur art le matériau musical désigné par Rome comme étant le plus légitime – Charles Tournemire couronnera ainsi un siècle de purification du matériau sonore en concevant le cycle gigantesque de *L'Orgue mystique* (1927-1932).

Derrière les nombreuses polémiques tournant autour de la meilleure musique d'église se joue une transformation radicale de la liturgie. Après des siècles de gallicanisme (c'est-à-dire d'existence de répertoires de chants liturgiques parallèles que tolérait plus ou moins la papauté), un parti ultramontain se structure dans le premier tiers du XIXe siècle autour de figures comme celles de Lamennais ou de dom Guéranger qui réclament haut et fort l'abandon des rites locaux au profit d'un retour dans le giron romain. En 1839, l'évêque de Langres, monseigneur Parisis, lance le mouvement. Paris se rallie tardivement (1856) et certains diocèses attendront encore la fin du siècle avant de renoncer définitivement à leurs vieux usages liturgiques et surtout à leurs répertoires musicaux propres.

Les partisans d'une purification de la musique d'église sont en général les plus fervents prosélytes du passage au culte romain. L'orthodoxie revendiquée est donc double : promotion d'un plain-chant débarrassé de ses scories nationales et valorisation des antiques musiques polyphoniques de l'Église. Tout au long du siècle, les rééditions de partitions des « pères musicaux » du concile de Trente se multiplient depuis la collection publiée sous la monarchie de Juillet par le prince de la Moskowa jusqu'aux pièces données dans les suppléments du journal *La Maîtrise* par Niedermeyer et d'Ortigue sous le Second Empire, avant que les Chanteurs de Saint-Gervais lancés par Charles Bordes à la fin du siècle n'éditent systématiquement un répertoire canonique allant de Lassus à Victoria en passant évidemment par Palestrina.

Quant au plain-chant, il fait l'objet d'intenses controverses. Un des grands enjeux du siècle est en effet la réforme des livres de chant. Le discours des réformateurs finit par convaincre nombre d'évêques que les textes musicaux dont disposent les chantres et les paroissiens ne sont plus fiables. À Digne, à Rennes, à Reims, à Dijon, se constituent des commissions où des ecclésiastiques côtoient des archéologues musicaux dont beaucoup sont des laïcs. De ces cénacles savants sortiront plusieurs éditions de plain-chant corrigé qui connaîtront des fortunes inégales (il faudra attendre l'entrée en scène des moines bénédictins de Solesmes pour obtenir qu'une édition vaticane soit universellement adoptée).

Au milieu du siècle, on se met en chasse du manuscrit idéal, celui qui contiendrait les chants intacts de saint Grégoire avant que les copistes médiévaux ne les aient altérés. Les découvertes se multiplient. À Montpellier, à Saint-Gall, on met la main sur des documents fort anciens dont on pense à chaque fois qu'ils sont la perle tant espérée : un manuscrit purement romain. Les érudits se déchirent, se pillent, prennent à parti l'opinion et produisent une quantité phénoménale de mémoires, d'articles et bien entendu d'éditions définitives... rapidement invalidées par des livres plus authentiques encore.

Pour arriver à leurs fins, les réformateurs de la musique liturgique engagent des actions tous azimuts. En 1860 se tient à Paris un *Congrès pour la restauration du plain-chant et de la musique d'Église* qui rassemble membres du clergé et musiciens afin de fédérer les énergies militantes. Quelques années plus tôt, Félix Danjou – l'un des propagandistes les plus enragés – avait sillonné la France pour prêcher la bonne parole tout en publiant de 1845 à 1848 la *Revue de la musique religieuse, populaire et classique*, tribune officielle du courant réactionnaire. Sous le Second Empire, Louis Niedermeyer crée une nouvelle revue intitulée *La Maîtrise* et fonde en 1853, avec le soutien de l'État, une École de musique classique et religieuse où enseigneront entre autres Camille Saint-Saëns et Clément Loret. De cette école normale pour musicien liturgique sortiront Gabriel Fauré, André Messager ou Eugène Gigout, tous convaincus que le recours aux vieux tons de la modalité du plain-chant est une des manières de faire la musique du présent.

Jusqu'au début du XXe siècle, les musiciens militant pour le retour aux Anciens furent minoritaires. L'essentiel de la musique d'église moderne était écrit dans la langue du temps. À Saint-Eustache, on donne tous les ans, pour célébrer la fête de Sainte-Cécile, des messes avec accompagnement d'orchestre dans le style moderne commandées à Ambroise Thomas, Adolphe Adam, César Franck ou Charles Gounod (sa célèbre *Messe de sainte Cécile* est créée en 1855). Il s'agit de commandes de l'Association des artistes musiciens fondée en 1843 et qui prospère sous le Second Empire. Ce genre de manifestation, à la fois mondaine et corporative tout en étant placée sous un patronage religieux, est rare. Le quotidien des paroisses est moins flamboyant. Dans les églises parisiennes, pourtant parmi les mieux dotées, on ne réunit pas tous les dimanches un orchestre, des chœurs et des solistes. Aux tribunes, quelques musiciens seulement : un organiste évidemment secondé de deux ou trois solistes, d'une maîtrise pour les églises les plus aisées, d'un serpent bientôt remplacé par une ou plusieurs contrebasses.

Aux grandes messes en musique des compositeurs contemporains, on préfère souvent des scies éprouvées. La *Messe royale* en plain-chant d'Henry Du Mont, composée dans le dernier tiers du XVIIe siècle, est chantée quotidiennement à travers toute la France jusqu'au début du XXe siècle sous toutes sortes de formes : *a cappella* par les chantres, en général rejoints par les fidèles qui la connaissent par cœur, dans des versions harmonisées en faux bourdon (il nous reste ainsi des arrangements signés par César Franck ou Georges Schmitt) ou sous des aspects plus séduisants encore lorsque le thème est par exemple introduit dans les sections de la *Messe opus 4* de Saint-Saëns.

Le salut au Saint-Sacrement est au XIXe siècle la cérémonie la plus riche de musique moderne. On y donne quantité de motets (*Tantum ergo*, *O Salutaris*, *Ecce Panis*, *Ave verum*, *Rorate*, *Adeste*, *O Filii*, *Panis Angelicus*), ainsi que des chants dédiés à la Vierge (*Ave Maria*, *Sancta Maria*, *Sub tuum*, *Regina cœli*, *Tota pulchra es*, *Salve Regina*) dont on retrouve certains dans les vêpres, cérémonie elle aussi hautement musicalisée. Gounod, Franck, Fauré, Saint-Saëns, Dubois écriront souvent plusieurs motets sur le même texte tant la demande de ces musiques fonctionnelles était forte dans les paroisses.

Quant à l'orgue, la classe de François Benoist au Conservatoire de Paris est une enclave anachronique au milieu d'un paysage en plein bouleversement. Alors que le vieux professeur (il détient le record de longévité avec 53 années de professorat) baigne encore dans le style de Haydn, les organistes les plus talentueux de la capitale inventent sous le Second Empire l'orgue symphonique – Édouard Batiste dans ses offertoires, César Franck dans ses pièces de concert, Lefébure-Wély dans ses improvisations notées.

À l'autre bout du spectre des pratiques triomphe le cantique dont le père Lambillotte est alors le prophète... Le vieux genre musical connaît une consommation de masse stimulée par les besoins des établissements d'éducation, par le regain des processions ou l'enthousiasme pour le mois de Marie et surtout pour les pèlerinages qui se multiplient au rythme des apparitions mariales (La Salette en 1846, Lourdes en 1858, Pontmain en 1871). Au palmarès des fidèles, l'*Ave Maria* amené à Lourdes par les pèlerins de Nantes en 1872 dont le succès sera international et éclipsera dans les mémoires des cantiques plus obscurs qui voient le jour par centaines au même moment.

Ces pratiques échappaient souvent à l'encadrement du clergé ou des artistes de métier. Rappelons que, dans les églises, le service musical était assuré par des musiciens gagés. Certes, les paroissiens se joignaient quelquefois à eux pour chanter les pièces de l'ordinaire de la messe (nous évoquions le cas de celle de Du Mont qui était dans toutes les mémoires) et surtout le *Credo*, des hymnes aussi aux vêpres et aux fêtes, mais l'essentiel de la musique entendue pendant les célébrations était produite par des professionnels (c'était le cas des organistes ou des chanteurs solistes) ou du moins par des musiciens expérimentés et rémunérés ; on pense en particulier aux chantres que l'on retrouvait tous les dimanches autour du lutrin bien qu'ils eussent en semaine un métier sans rapport avec l'église.

En nous promenant à travers les pratiques musicales religieuses du milieu du XIXe siècle, nous avons croisé quantité d'usages et d'instruments disparus, nombre de musiciens oubliés. Ajoutons que la plupart des œuvres composées sous le Second Empire sont encore largement négligées de nos jours, exception faite du *Te Deum* et de *L'Enfance du Christ* d'Hector Berlioz. Ce dernier est paradoxalement l'auteur le plus exécuté de cette période alors qu'il en est certainement le moins représentatif. Les musiques liturgiques étaient pourtant en pleine effervescence à la même époque. Un univers quasiment inédit et d'une grande diversité esthétique reste donc à redécouvrir à la condition – impérative – d'aller au-delà de nos propres habitudes auditives en acceptant de se tourner sans *a priori* vers un goût musical qui n'est certes plus le nôtre, mais qui pourrait sans trop de peine le devenir.

———

SAINT-SAËNS À L'ORGUE, EN 1893.
Musica, juin 1907, p. 90.

Saint-Saëns musicien d'église

Diego Innocenzi

Camille Saint-Saëns est connu comme compositeur et comme pianiste virtuose, comme chef d'orchestre aussi, mais on oublie souvent que pendant les premières années de sa carrière il fut un musicien d'église renommé. Chaque dimanche, de 1853 à 1877, il accompagnait à l'orgue messes, vêpres et saluts, et revenait bien entendu à sa tribune en semaine pour les mariages et les enterrements.

Ce fut d'abord auprès d'un musicien atypique – Alexandre-Pierre Boëly, fervent défenseur des maîtres anciens à une époque où on ne les jouait guère – que Saint-Saëns reçut ses premières leçons d'orgue. Au bout de deux ans, son maître pour le piano (Camille Stamaty) présenta l'enfant prodige à François Benoist, professeur d'orgue au Conservatoire de Paris. Nous sommes en 1848. Bien des années après, Saint-Saëns se souvient, dans son *École buissonnière*, de sa première épreuve :

> On me plaça devant le clavier, j'étais fort intimidé, et ce que je fis entendre était tellement extraordinaire, que tous les élèves partirent ensemble d'un immense éclat de rire. On me reçut comme auditeur.

Dans les mois qui suivent, le jeune musicien travaille assidument l'*Art de la fugue* de Jean-Sébastien Bach. Rapidement intégré aux élèves de la classe, Saint-Saëns décroche dans la foulée ses prix en 1849 et en 1851 (il poursuivra ses études en composition chez Halévy sans réussir toutefois à décrocher le prix de Rome).

L'enseignement donné au Conservatoire était spécialement orienté vers la pratique des futurs organistes liturgiques. On apprenait chez Benoist à accompagner le plain-chant selon les règles (tantôt au pédalier, tantôt au clavier), à concevoir sur le vif des fugues et à improviser dans le style libre. Bardé de ce savoir pratique du contrepoint, Saint-Saëns est nommé en 1853 à la tribune de l'église Saint-Merry, en plein cœur de Paris. Il a alors 18 ans. L'instrument dont il hérite, construit au XVIIe siècle, est dans un mauvais état. Repris successivement par François-Henri Clicquot peu avant la Révolution, puis par Dallery en 1816-1818, l'orgue n'avait donc pas connu de véritables travaux depuis un demi-siècle. Saint-Saëns obtient qu'il soit restauré. La modernisation est confiée à Cavaillé-Coll qui y travaille de 1855 à 1857. À la demande de Saint-Saëns, beaucoup des anciens tuyaux sont conservés, en particulier le cornet du grand orgue et les mutations du grand orgue et du positif caractéristiques des anciens orgues français. Pour le concert d'inauguration, le jeune organiste improvise et joue sa fantaisie en *mi* bémol, l'extrait d'une sonate de Mendelssohn et la fugue en *ré* majeur de Bach. Le ton est donné : les modèles de Saint-Saëns sont puisés aux sources les plus élevées.

Après cinq années passées à Saint-Merry, Saint-Saëns accède à la prestigieuse tribune de la Madeleine en 1858 où il trouve l'instrument d'une conception toute moderne conçu par Cavaillé-Coll peu de temps auparavant (1846). Louis-James-Alfred Lefébure-Wély venait de libérer l'un des postes les plus lucratifs de la capitale. Saint-Saëns connaît une véritable promotion qui lui assure des revenus confortables, mais qui le met surtout en contact avec des paroissiens comptant parmi les personnalités les plus influentes de la capitale. C'est là que viendront lui rendre visite des artistes aussi estimables que Clara Schumann, Anton Rubinstein, Pablo Sarasate et Franz Liszt. C'est enfin pour la Madeleine, où les cérémonies atteignaient une solennité sans guère d'équivalent à Paris, que Saint-Saëns écrira une grande partie de sa musique sacrée, nous y reviendrons.

Outre les mariages et les services funèbres, Saint-Saëns était astreint à jouer trois services chaque dimanche. La plupart de ses interventions aux claviers n'étaient pas écrites. Son ancien disciple Eugène Gigout se souvient, dans *Le Guide du concert*, en 1914 :

> Du reste, nous ne quittions guère la tribune de la Madeleine ; car d'entendre Saint-Saëns improviser était un bonheur sans égal. Quels beaux souvenirs que ces antiennes à cinq parties, ces canons présentés avec une aisance déconcertante, ces fantaisies toujours si originales, si variées, ces sorties fulgurantes, ces offertoires beethovéniens qui, faut-il le dire, n'étaient pas toujours goûtés des belles mondaines du quartier ! – Vous pensez bien que l'organiste incriminé ne cédait pas : « Quand j'entendrai lire au Prône une page de Labiche – répondit-il un jour –, je jouerai un offertoire approprié. »

Saint-Saëns succède en effet à un musicien qui s'était illustré dans des compositions d'un accès facile, proche des pièces qu'on entendait alors dans les salons ou à l'opéra. Or, pour ne rien arranger, outre ses improvisations en style sévère, Saint-Saëns exécute, comme il en avait pris l'habitude à Saint-Merry, des morceaux tirés des maîtres anciens. Très vite, l'organiste acquiert la réputation d'être un artiste sérieux, trop sérieux au goût de beaucoup. Bien des années plus tard, il tentera de détruire, dans son *École buissonnière*, ce qu'il qualifiera de « légende » :

> J'étais le musicien sévère, austère ; et l'on avait fait croire au public que je jouais continuellement des fugues ; si bien qu'une jeune fille, en passe de se marier, vint me supplier de ne pas en jouer à sa messe de mariage. Il est vrai qu'une autre me demanda de lui faire entendre des marches funèbres. Elle voulait pleurer à son mariage, et n'en ayant nulle envie, comptait sur l'orgue pour lui faire venir les larmes aux yeux. Mais ce cas fut unique en son genre ; d'ordinaire, c'était de ma sévérité qu'on avait peur ; cette sévérité était pourtant bien tempérée.
>
> Un jour, un des vicaires de la paroisse se mit à m'endoctriner sur ce point. Le public de la Madeleine, me dit-il, est composé en grande majorité de personnes riches, qui vont souvent à l'Opéra-Comique ; elles y ont contrac-

té des habitudes musicales qu'il convient de respecter.
– Monsieur l'abbé, lui répondis-je, quand j'entendrai dire en chaire le dialogue de l'Opéra-Comique, je ferai de la musique appropriée ; mais pas avant.
En ce temps-là, on était gai à la salle Favart.

Comme Charles Gounod avant lui, qui avait affronté des paroissiens hostiles à la musique sérieuse lorsqu'il avait tenu l'orgue des Missions-Étrangères dans les années 1840, Saint-Saëns dut lutter pendant toute sa carrière de musicien d'église pour imposer son goût en matière de musique liturgique. Chez les professionnels et parmi les amateurs avertis, sa notoriété comme organiste ne cessait de croître. Après son accession à la tribune de la Madeleine, il est régulièrement invité pour les concerts d'inauguration des orgues des principales églises de Paris (Saint-Sulpice en 1863, Notre-Dame en 1868, la Trinité en 1869) et, plus tard, pour le baptême de l'orgue monumental du Trocadéro à l'occasion de l'Exposition universelle de 1878 – instruments tous construits par Cavaillé-Coll. Lors de ses nombreux voyages à travers le monde, pendant les décennies suivantes, Saint-Saëns sera souvent convié à jouer sur les meilleures orgues des villes qu'il traversera, et parfois à en inaugurer certains en Europe, en Amérique du Nord et du Sud et en Afrique du Nord.

De plus en plus occupé par ses tournées de concerts, contraint, pour préserver une santé fragile, de prendre ses quartiers d'hiver dans des pays au climat plus clément, Saint-Saëns avait fini par se reposer sur Gabriel Fauré, Eugène Gigout et Charles-Marie Widor pour le remplacer aux claviers du Cavaillé-Coll de la Madeleine. En 1877, Saint-Saëns démissionne de son poste en prétextant des conflits avec le clergé de sa paroisse. Ce départ inattendu coïncida de façon tout à fait providentielle avec le décès d'Alfred Libon, directeur des Postes, qui avait fait don par héritage au musicien d'une somme énorme destinée à la commande d'un *Requiem*, somme assez élevée pour donner à Saint-Saëns la possibilité de se consacrer entièrement à la composition pendant plusieurs années.

La production de Saint-Saëns avait été fortement marquée par ses obligations de musicien d'église. Jean Bonnerot écrit que le compositeur produisit une quantité considérable de musique (cantiques du mois de Marie ou motets composés à la hâte et dont beaucoup ne furent pas édités) afin de fournir les besoins de ses paroisses, en particulier pendant les fêtes où la musique occupait une place non négligeable. Les pièces éditées par Durand en 1885, dans une sorte de recueil récapitulatif, étaient donc un choix des meilleures pages retenues par leur auteur. On y trouvait cinq *O Salutaris*, trois *Ave verum*, deux *Tantum ergo*, un *Veni creator* (dédié à Franz Liszt), quatre *Ave Maria*, un *Tollite Hostias* (tiré de l'*Oratorio de Noël* qui connaissait déjà un grand succès). Il s'agissait à l'évidence d'une anthologie de partitions destinées à embellir les saluts au Saint-Sacrement, cérémonies alors très en vogue qui s'enchaînaient aux vêpres et faisaient une large place à la musique. Les saluts comprenaient en général un motet au Saint-Sacrement, un autre à la Vierge, une prière pour le pape, un *Tantum ergo* et un *Laudate Dominum*.

Les pièces religieuses de Saint-Saëns renoncent à toute facilité. On n'y entend ni les traits de virtuosité vocale que bon nombre de compositeurs de musique liturgique n'hésitaient pas, à la même époque, à emprunter au théâtre lyrique, ni ces mélodies d'opéra-comique qui courent alors sous la plume de tant de maîtres de chapelle – le père Lambillotte en tête. Dans les partitions de Saint-Saëns, le chromatisme est rare, l'homophonie fréquente dans les chœurs, le contrepoint abondamment utilisé. Cette musique-là est un manifeste pour une esthétique austère qui regarde plus vers le passé que vers la romance moderne.

Les effectifs préconisés dans les motets de Saint-Saëns sont directement déterminés par le personnel musical disponible dans les paroisses. Les femmes étant interdites de prestation musicale tout au long du XIXe siècle dans les églises parisiennes, les ensembles choraux sont composés des enfants des maîtrises pour les dessus et de quelques chanteurs adultes pour les autres parties. Les basses sont souvent doublées par les contrebasses et le plain-chant accompagné par un instrument étrange, le serpent, bientôt remplacé par l'orgue de chœur ou l'harmonium. Quant aux instruments, il n'est pas rare qu'une harpe ou un cor vienne s'ajouter à l'orgue.

Outre ses motets, Saint-Saëns compose plusieurs partitions de grande envergure. Une *Messe* d'abord, avec grand orgue et orgue d'accompagnement, orchestre réduit, quatre voix solistes et un chœur (1857), que traversent les thèmes en plain-chant de la *Messe royale* d'Henri Du Mont et qui exploite l'antique système de l'alternance entre l'instrument à clavier et le chant. Une fois de plus, l'œuvre ressemble peu aux réalisations contemporaines dans le même genre. Dans une longue lettre du 4 août 1869, Franz Liszt (qui reçut tardivement la partition) complimente Saint-Saëns pour avoir édifié « une magnifique cathédrale gothique où Bach aurait sa chapelle » et dresse une longue liste de passages à améliorer voire à retrancher... L'auteur de la *Messe de Gran* suggère à son confrère de couper 18 pages de son *Kyrie* dans lequel il voit la flèche de la cathédrale sonore qui le séduit tant. « Ne perdez-vous pas de vue – écrit-il – le célébrant, obligé de se tenir debout, immobile, à l'autel » pendant près de 300 mesures... Ignorant la maxime énoncée par Liszt dans la même lettre qui proclamait qu'à l'église « l'art ne doit y être que corrélatif et tendre à la plus parfaite *concomitance* possible avec le rite », Saint-Saëns pensera plusieurs de ses œuvres sacrées autant pour l'église que pour le concert : l'*Oratorio de Noël* (1858), le *Psaume XVIII* (1865), *Le Déluge, poème biblique en trois parties* (1870) ou son *Requiem* (1877).

Au fil des semaines, l'artiste aura aussi composé au clavier des heures de musique d'orgue irrémédiablement disparue comme en témoigne cette lettre où Saint-Saëns explique non sans humour à son ancien disciple Gabriel Fauré comment le remplacer à la tribune de la Madeleine pour une messe vers 1875 :

Au graduel (quand il y a une Prose) après le 1er *Alléluia* entonné par le chœur l'orgue touche un petit prélude.
Le chœur continue et reprend pour finir l'intonation de l'*Alléluia*.
L'orgue entonne la Prose.
Après le *Credo* et l'intonation du prête, l'orgue touche l'*Offertoire*.
À l'*Orate frates*, l'organiste songe sérieusement à finir.
Quand les enfants de chœur remuent, l'orgue s'arrête.
L'organiste s'essuie.
Après la communion, l'orgue touche le *Domine salvum* - en *si* b.
À l'*Ite missa est* l'orgue répond par un prélude de quelques notes (pianissimo)
Après la Bénédiction.
Sortie
L'organiste va déjeuner chez Richard Lucas
À 2 h. 13 minutes les vêpres. Verset à chaque psaume. Hymne. *Magnificat*

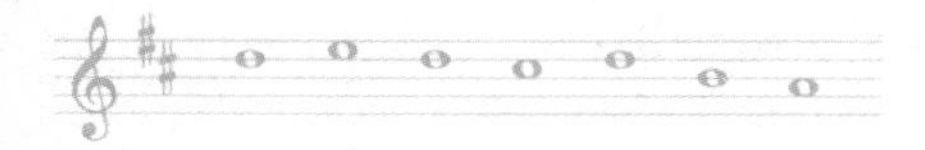

Benedicamus en *fa*
Récréation
À 4 h. moins 17 minutes on rentre pour le Salut *Regina cœli* en *sol*.
Le chœur donne l'intonation[,] prose (s'il y a lieu) entre les deux motets *Domine s.* après le « *deus meminerit* » suivi du verset de l'oraison.
Après le psaume final, sortie définitive.

Seuls quelques morceaux ont été sauvés de l'engloutissement. Car, de même que les motets, les pièces d'orgue inscrites à son catalogue par le compositeur peuvent être considérées comme des improvisations couchées sur le papier. Sous le Second Empire, Saint-Saëns confie à des éditeurs son premier opus : *Trois Morceaux* (1858), puis se succèdent un *Interlude fugué* (1857), une *Fantaisie* (1857), une *Bénédiction nuptiale* (1866), une *Éléva-*

tion ou *Communion* op. 13 (1865), *Trois Rhapsodies sur des cantiques bretons* (1866). Autant de pièces où les pastiches abondent, mais dans un éclectisme stylistique de bon goût.

Une fois sa liberté acquise, Saint-Saëns prit de plus en plus clairement ses distances avec la religion. Il ne se désintéressa pourtant pas entièrement du sort de la musique d'église. D'abord en continuant à écrire pièces d'orgues, motets et oratorios. Ensuite en entretenant ses talents d'improvisateur. Au début du XXe siècle, Jean Huré est fasciné par les démonstrations époustouflantes auxquelles se livrait encore le compositeur âgé, qui s'était fait nommer organiste honoraire de Saint-Séverin en 1897 afin de pouvoir accéder à sa guise au magnifique instrument de John Abbey. Huré raconte dans *Le Guide du concert* de 1914 :

> Il improvise en contrepoint, à deux, trois ou quatre voix, *allegro*, en suivant un plan merveilleusement ordonné, et avec pureté, une logique, dans la marche des parties composantes, telles que le musicien le plus érudit et doué de l'oreille la plus exercée, croit entendre une composition mûrement pensée et écrite avec soin. Comme difficulté d'exécution, certains de ces impromptus représenteraient, pour le plus adroit de nos organistes, un an de travail assidu.
>
> Saint-Saëns, par exemple, à la sortie de la grand'messe, improvise, aux claviers manuels, une fugue rigoureuse, à trois voix, *réelles* et suivies imperturbablement, dans un mouvement vertigineux. Le sujet est net, clair, incisif, le *contresujet* étonnant d'ingéniosité, les *divertissements* exquis de fantaisie et d'invention, et, tout à coup, dans le *stretto*, il fait entendre, au pédalier, le dernier motet qui fut chanté au chœur, et poursuit ses *entrées*, de plus en plus resserrées, comme il convient, jusqu'à une conclusion éblouissante. C'est ce qu'il appelle une « petite facétie ».

Enfin, Saint-Saëns était fort d'une expérience de terrain qui donnait à sa parole une légitimité considérable lorsqu'il intervenait dans les nombreux débats agitant clergé et fidèles au tournant du siècle. Auteur d'un article sans concession sur la prononciation du latin à l'heure où il était question d'abandonner l'accent français au profit de la prononciation à la romaine, il énonce, toujours dans son *École buissonnière*, des opinions surprenantes sur ses amours d'antan en condamnant la musique de Bach qu'il avait défendue dans sa jeunesse contre l'avis de ses paroissiens :

> J'étonnerai bien des gens en leur disant que j'exilerais de l'Église catholique presque tout l'œuvre de Sébastien Bach. Ses merveilleux *Préludes pour des chorals* sont d'essence protestante ; et, à peu d'exceptions près, ses prélude et fugues, fantaisies, toccatas sont de pièces où la virtuosité tient une grande place : c'est une musique de concert et non d'église.

Une fois de plus, Saint-Saëns surprenait son monde en adoptant une définition de la musique d'église à contre-courant du sens commun. Défenseur des classiques à l'époque où ils ennuyaient le gros des fidèles, il abandonnait Bach au moment où son triomphe était assuré. Saint-Saëns était décidément un franc-tireur.

Saint-Saëns à la fin de sa vie.
Musica, juin 1907, p. 93.

La Villa Médicis vers 1860.
Collection Symétrie.

Médaille décernée au premier grand prix de Rome.
Collection particulière.

Ivanhoé

Texte de Victor Roussy

Quand on a foi en elle, une cause juste
Triomphe toujours.
(De Lamennais)

Personnages
Wilfred Ivanhoé
Brian de Bois-Guilbert
Rebecca

[CD 1 : 01]
Dans un épisode d'Ivanhoé, roman de Walter Scott, Rebecca, fille d'un usurier israélite, accusée de séduction à l'égard de Brian de Bois-Guilbert, de l'ordre religieux et militaire des Templiers, vient d'être condamnée à être brûlée vive par la Commanderie du château de Templestowe, en Angleterre. Rebecca est prisonnière dans une chambre dépendante de cette Commanderie, où se passe la scène.

[CD 1 : 02]
Rebecca *(les mains enchaînées)*
Récitatif
D'où vient que par moments mon âme se rassure,
Captive dans ces murs où j'attends le trépas ?
Ivanhoé !... par moi guéri de sa blessure...
Je crois le voir m'offrir le secours de son bras !
Cruelle erreur ! je suis une fille maudite ;
Il ne répondra pas à l'appel de mon cœur !...
Et dans la lice, hélas ! quand il serait vainqueur...
Il est chrétien, et moi je suis israélite !
Cependant l'heure approche et le champ est ouvert,
Et nul secours humain pour moi ne s'est offert !...

[CD 1 : 03]
Chant. (Prière.)
Sion, berceau de mon enfance,
Reçois mon éternel adieu ;

Je vais, malgré mon innocence,
Subir le jugement de Dieu !
(Ici entre Bois-Guilbert sans être vu de Rebecca.)
Dans ma lutte avec la souffrance,
Ma seule égide c'est la foi !
J'ai mis en toi mon espérance,
Dieu d'Israël, protège-moi !

[CD 1 : 04]

BOIS-GUILBERT *(d'un ton suppliant)*
Rebecca !...

REBECCA
Bois-Guilbert !

BOIS-GUILBERT
Maudits-moi, mais écoute...

REBECCA
Toi, mécréant ! *(à part)* de tous le seul que je redoute !...

BOIS-GUILBERT
Il te reste un espoir : le combat solennel
Contre l'inique arrêt de la Commanderie
Pourrait te préserver du supplice cruel
Qui punit la sorcellerie !

REBECCA
Je n'attendais pas moins d'un ennemi mortel !

BOIS-GUILBERT
N'accuse que la loi dans sa rigueur extrême,
Et, templier, plains-moi d'être juge moi-même !
Mais, simple chevalier sous un déguisement,
Je puis entrer en lice et défendre ta vie...

REBECCA
Ah ! Plutôt qu'à l'instant elle me soit ravie !...

Bois-Guilbert
À renier ma foi, je suis prêt !...

Rebecca
Ô tourment !...

Bois-Guilbert
Fuyons !... et qu'avec toi j'emporte mon serment !...

[CD 1 : 05]
Air.
Au mont Carmel, en Palestine,
Libres de soins religieux,
Foulant aux pieds notre origine,
Nous aurons un sort glorieux ;
Par mon épée et mon courage,
Me frayant un nouveau chemin,
Un trône sera mon partage
Et, roi, je t'offrirai ma main !

Reine d'un peuple et de mon âme,
Oui, les mauvais jours vont finir !
Et déjà l'Orient t'acclame
Comme un gage de l'avenir !
Pour te prodiguer leurs hommages
À tes pieds je vois accourir
Jusqu'aux tribus les plus sauvages ;
Reine on t'attend, il faut partir !...

Rebecca
Eh ! que m'importe la puissance ?
Je garderai la foi de mes aïeux !...

Bois-Guilbert
Je ne veux que ta délivrance !

Rebecca
Fuis pour toujours loin de mes yeux !

[CD 1 : 06]

Duo.

BOIS-GUILBERT	REBECCA
C'est en vain qu'elle implore	Juste ciel que j'implore
Le ciel avec ferveur,	De toute ma ferveur,
Doit-il l'aider encore	Daigne m'aider encore
À déchirer mon cœur !...	À braver sa fureur !...

BOIS-GUILBERT
Dis-moi que tu vivras pour calmer mon délire ?

REBECCA
De grâce ! à tes dessins je ne saurais souscrire.

BOIS-GUILBERT
Tremble devant l'abîme entrouvert sous tes pas !
La flamme d'un bûcher...

REBECCA
Non ! je ne la crains pas !...

BOIS-GUILBERT
Mais tes jours sont les miens !...

REBECCA
Persistance odieuse !...

BOIS-GUILBERT
Ô beauté ravissante, étoile radieuse !
Cède à ma passion !...

REBECCA
Non !

BOIS-GUILBERT
Cède à ma passion !

REBECCA
Non ! lâche séducteur.

BOIS-GUILBERT
En vain ta voix implore
Le ciel avec ferveur,
Doit-il t'aider encore
À déchirer mon cœur !...

REBECCA
Juste ciel que j'implore
De toute ma ferveur,
Daigne m'aider encore
À braver sa fureur !

[CD 1 : 07]

BOIS-GUILBERT
J'ai prié trop longtemps !

REBECCA
Ta prière est coupable !...

BOIS-GUILBERT *(s'avançant vers Rebecca)*
Oses-tu résister ?...

REBECCA *(avec indignation)*
Arrête, misérable !...

BOIS-GUILBERT
Je t'aime ! Et pour ma foi
Que je te sacrifie !
Ton amour, c'est ma vie
Et je l'attends de toi !

REBECCA
Ah ! n'attends pas de moi,
Même au prix de ma vie,
Que je te sacrifie
Mon honneur et ma foi !

BOIS-GUILBERT
Je t'en supplie !...

REBECCA
Ô ciel !...

BOIS-GUILBERT
Tu m'appartiens !...

REBECCA
Qui !... Moi !...

BOIS-GUILBERT
Viens !...

REBECCA
Oh ! Non, jamais !...

BOIS-GUILBERT *(allant pour la saisir)*
Eh bien !...

REBECCA *(levant les bras et le menaçant de sa chaîne)*
Malheur à toi !...

[CD 1 : 08]
Trio.
REBECCA *(avec un mouvement de surprise et d'émotion en voyant entrer Ivanhoé)*
Ivanhoé !...

BOIS-GUILBERT *(à part)*
Quoi !... lui !...

IVANHOÉ
D'une injuste sentence
Je viens punir l'auteur et venger l'innocence !

BOIS-GUILBERT *(à part)*
Se peut-il ?... lui, naguère aux portes du trépas !...
D'un coup de lance atteint !...

IVANHOÉ *(à Bois-Guilbert)*
Tu ne m'attendais pas !...

IVANHOÉ
Sa pâleur est subite !
Mais d'où vient qu'il hésite ?
Je saurais le punir !...

REBECCA
Sa pâleur est subite
Mais d'où vient qu'il hésite ?
Ah ! Je me sens frémir !...

Bois-Guilbert
Il me brave, il m'irrite !
Mais d'où vient que j'hésite,
Je saurais le punir !...

Ivanhoé *(à Bois-Guilbert)*
Des armes, templier, je te laisse le choix !...

Bois-Guilbert
Téméraire !...

Ivanhoé
À nous deux pour la dernière fois !...

[CD 1 : 09]
Chant.
Oui ! malgré mon jeune âge,
On connait mon courage,
Et déjà deux tournois
Attestent mes exploits !
La fanfare commence !
Prends l'épée ou la lance,
Hâte-toi d'accourir
Pour vaincre ou pour mourir !

Rebecca
Ivanhoé !... je crains une lutte inégale !

Ivanhoé
Jamais plus beau combat à moi ne s'est offert !

Bois-Guilbert
Juive, priez pour lui !... son ardeur martiale
S'éteindra sous mes coups !...

Ivanhoé
Qu'en sais-tu Bois-Guilbert ?...

Ivanhoé	Rebecca
C'en est fait, point de grâce,	Ô ciel, fais-lui la grâce
Punissons tant d'audace !	De punir tant d'audace !
Ah ! si j'en crois mon cœur,	Ah ! si j'en crois mon cœur,
Je dois être vainqueur !	Il doit être vainqueur !
Pour venger une injure,	Pour venger une injure,
Ma main sera plus sûre,	Sa main sera plus sûre,
Pour triompher du sort,	Pour triompher du sort,
Dieu me rendra plus fort !	Dieu le rendra plus fort !

Bois-Guilbert
C'en est fait, point de grâce,
Punissons tant d'audace !
Ah ! Si j'en crois mon cœur,
Je dois être vainqueur !
Pour venger une injure,
Quand sa main n'est pas sûre !
Pour triompher du sort,
Dieu me rendra plus fort.

(ici des sons de clairons venant du champ clos)

Ivanhoé	Rebecca
Le cor m'appelle,	Le cor l'appelle,
Voici l'instant !	Voici l'instant !
Gloire immortelle,	Gloire immortelle,
L'honneur m'attend !	L'honneur t'attend !

Bois-Guilbert
Le cor m'appelle,
Voici l'instant !
(à Rebecca) Adieu cruelle,
La mort t'attend !

(sortent Ivanhoé et Bois-Guilbert)

[CD 1 : 10]
Rebecca
À travers les vitraux, le regard sur la plaine,
Victime résignée aux chances de mon sort,

Je vais être témoin de la lutte prochaine,
Attendant sans frémir la victoire ou la mort !
(regardant aux vitraux)
Oui !... la foule au champ clos et s'agite et frissonne !...
Et d'ici répondant à l'appel des clairons,
La cloche du château de l'espérance résonne ;
Le signal est donné partout aux environs !...

Oui !... de l'Ordre déjà l'étendard se déploie
Au milieu des clameurs de terreur ou de joie...
Le Grand-Maître est suivi de nombreux écuyers
Et la lance à la main, voici nos chevaliers !...

[CD I : II]
Près du bûcher en flamme
Où la mort me réclame,
Je vois les crins flottants
Des coursiers haletant !...
Ivanhoé !... courage !...
Lave un sanglant outrage,
Tous mes vœux sont pour toi,
Dieu puissant... sauve-moi !...

Ô terrible bataille !
Comme mon cœur tressaille !
Que d'assauts, que d'efforts !
Les voilà corps à corps !
L'ardeur est mutuelle,
Est-ce lui qui chancelle ?...
Dieu ! Bois-Guilbert blessé !...
Il tombe terrassé !...

Ah ! En combattant pour ma défense
Ô mon Dieu, tu veillais sur moi !
Tu devais sauver l'innocence !
Gloire au courage, gloire à toi !

Ivanhoé !... bonheur suprême !
Indicible ravissement !

Que dis-je, hélas !... à l'instant même,
Juive, il me faut, affreux tourment,
Renoncer au chrétien que j'aime !...

[CD I : 12]

Mais que vois-je !... C'est lui !
Rebecca ! Sa voix m'appelle !
Émotion douce et cruelle !...

IVANHOÉ
Rebecca !... viens !... C'est moi !... ton vengeur !...

REBECCA
Ah ! Merci !...

IVANHOÉ
En combattant pour sa défense
Ô mon Dieu, tu veillais sur moi !
Tu devais sauver, sauver l'innocence !
Sois libre et fière ! Gloire à toi !
Gloire au courage ! Gloire à toi !

REBECCA
En combattant pour ma défense,
Ô mon Dieu, tu veillais sur moi !
Tu devais sauver, sauver l'innocence !
Gloire au courage ! Gloire à toi !
Gloire au courage ! Gloire à toi !

Le Retour de Virginie

Texte d'Auguste Rollet

PERSONNAGES
Paul
Marguerite, *sa mère*
Le Missionnaire des Pamplemousses

[CD I : 13, 14]
Introduction. Airs lointains des danses de nègres, mariés aux chants des oiseaux, qui célèbrent la fin du jour.

Scène I

Paul, assis sur une éminence, écoute tristement le bruit des vagues qui battent les rochers.

[CD I : 15]
PAUL
Virginie ! ô ma sœur, pourquoi rester en France ?
Mais qui donc peut l'aimer autant que moi là-bas ?
Ah ! j'interroge en vain la nuit et le silence...
Mon cœur seul me répond... elle n'arrive pas !

[CD I : 16]
Échos de mon deuil solitaire,
Allez, sur l'aile du zéphyr,
Porter à celle qui m'est chère
Mes vœux et mon doux souvenir !

Et vous, amis de son enfance,
Petits oiseaux, qu'elle charmait,
Pleurez avec moi son absence,
Vous qui l'aimiez et qu'elle aimait !

En vain je redemande à l'onde
La blonde enfant qu'elle emmena ;
Le pauvre Paul est seul au monde.

Ma sœur, ma sœur, tu n'es plus là !

Déjà les orangers ont fleuri quatre fois ;
L'oiseau confie aux bois sa nouvelle couvée :
Et ma sœur n'est pas arrivée
Aux tristes accents de ma voix.

Âme de ma vie,
Ô ma sœur chérie,
Reviens, je t'en prie ;
Les bois vont fleurir.
Le printemps commence ;
Ah ! quitte la France ;
Ma sœur, plus d'absence...
Elle fait mourir !

Tes plantes aimées,
Tes fleurs embaumées
Meurent loin de toi ;
Leurs tiges séchées,
Tristement penchées,
Pleurent comme moi.

Domingo soupire
Quand on vient à dire
Ton nom gracieux ;
Fidèle, en silence,
Sur la mer immense
Étend ses grands yeux...

Âme de ma vie,
Ô ma sœur chérie,
Reviens, je t'en prie ;
Les bois vont fleurir.
Le printemps commence ;
Ah ! quitte la France ;
Ma sœur, plus d'absence...
Elle fait mourir !

Scène II

Paul, Marguerite.

[CD 1 : 17]

MARGUERITE, *entrant vivement, une lettre à la main*
Mon fils ! mon fils ! sois heureux !

PAUL
Avec la fugitive
Mon bonheur, ô ma mère, est parti de ces lieux.

MARGUERITE, *lui tendant la lettre*
Il reviendra : tiens, lis !

PAUL
Une lettre... elle arrive
À bord du Saint-Géran ! En croirai-je mes yeux ?

MARGUERITE
Enfant, crois-en les miens ; interroge mes larmes
Ces larmes du bonheur, si douces à verser.

PAUL
Oh ! que la nuit est belle, après les jours d'alarmes !
Ô ma mère ! demain nous allons l'embrasser !

PAUL
Mon cœur palpite ;
L'espoir l'agite ;
Plus de souci !
Sœur attendue,
Tu m'es rendue !
Mon Dieu, merci !

Bengalis d'alentour,
Chantez sous la feuillée
Ma tristesse envolée,
Et chantez son retour.

MARGUERITE
Son cœur palpite ;
L'espoir l'agite ;
Plus de souci !
Fille attendue,
Tu m'es rendue !
Mon Dieu, merci !

Bengalis d'alentour,
Chantez sous la feuillée
Sa tristesse envolée,
Et chantez son retour.

PAUL

Que les vents sur ses pas répandent
Les parfums de la jeune fleur !
Que les lianes se suspendent
En secouant leur douce odeur
Sur le front de ma sœur !

MARGUERITE

Zéphyrs, aux haleines si douces,
Soufflez, soufflez en vous jouant,
Et poussez vers les Pamplemousses
Le navire de notre enfant,
De celle qu'on attend.

Ensemble

PAUL

Bengalis d'alentour,
Chantez sous la feuillée
Ma tristesse envolée,
Et chantez son retour.

MARGUERITE

Bengalis d'alentour,
Chantez sous la feuillée
Sa tristesse envolée,
Et chantez son retour.

[CD 1 : 18]

PAUL

Mon âme était partie, on m'a rendu mon âme.
Je n'avais plus d'amour à donner ici-bas.

MARGUERITE

Ingrat ! et moi !

PAUL

Pardon, ô sainte et noble femme !
Ce que j'avais perdu ne se remplace pas.

MARGUERITE

Comme elle doit être embellie !

PAUL

Elle était déjà si jolie !

Comme son cœur en nous voyant
Va tressaillir !

PAUL ET MARGUERITE
Ah ! quel moment !

Ensemble

PAUL
Jour de retour, jour d'espérance,
Ma voix t'appelle avec ardeur.
Vaisseau léger, qui viens de France,
Rends-moi ma sœur, rends-moi ma sœur !

MARGUERITE
Jour de retour, jour d'espérance,
Ma voix t'appelle avec ardeur.
Vaisseau léger, qui viens de France,
Rends-moi la fille de mon cœur !

MARGUERITE
Domingo, notre attente est finie ;
Nous allons embrasser Virginie !

PAUL
Nuit d'attente, accomplis ta carrière,
Et fais place aux lueurs du matin.

PAUL
Je voudrais déjà voir la lumière
Éclairer mon bonheur de demain.
Demain !

Jour de retour, jour d'espérance,
Ma voix t'appelle avec ardeur.
Vaisseau léger, qui viens de France,
Rends-moi ma sœur, rends-moi ma sœur !

MARGUERITE
Ô vous tous, qui pleuriez ce matin,
Mes amis, attendez à demain.
Demain !

Jour de retour, jour d'espérance,
Ma voix t'appelle avec ardeur.
Vaisseau léger, qui viens de France,
Rends-moi la fille de mon cœur !

Scène III

Paul, Marguerite, Le Missionnaire des Pamplemousses.

[CD 1 : 19]

LE MISSIONAIRE

Amis, entendez-vous la tempête naissante
Qui gronde au loin, et s'avance vers nous ?
Pour conjurer les vents et l'onde menaçante,
Prions Dieu, mes enfants ; à genoux ! à genoux !

[CD 1 : 20]

Prière

Ensemble

Ô roi des cieux, souverain maître
Des vains mortels créés par vous ;
Vous qui pouvez leur donner l'être,
Sauvez-les des flots en courroux !

MARGUERITE

Soutenez sur les noirs abîmes
Le matelot qui touche au port.
Déjà, mon Dieu, tant de victimes
Dans les flots ont trouvé la mort !

Ensemble

Ô roi des cieux, souverain maître
Des vains mortels créés par vous ;
Vous qui pouvez leur donner l'être,
Sauvez-les des flots en courroux !
(L'orage redouble ; on entend au loin le canon.)

[CD 1 : 21]

PAUL

Entendez-vous ? le canon tonne.

MARGUERITE

Ô Virginie, ô mon enfant !

Paul
Ah ! malgré-moi, mon cœur frissonne
(Coup de canon.)

Le Missionaire
C'est le canon du Saint-Géran !

Paul
Le Saint-Géran !

Marguerite
Dieu !

Le Missionaire
On le signale à terre.

Paul
Le Saint-Géran ! Oh ! mon Dieu, quel malheur !
(Canon.)
Entendez-vous ? on m'appelle, ma mère.

Le Missionaire
Dieu seul, mon fils, peut sauver votre sœur !

Paul
Ah !

Paul	Marguerite
Courons vers le rivage,	Enfant ! sur cette plage
Dieu me secondera.	Qui te secondera ?
Que m'importe l'orage ?	Tu veux braver l'orage.
Ma Virginie est là !	Ta Virginie est là !

Le Missionaire
En vain sur le rivage
Le pauvre enfant s'en va ;
Des fureurs de l'orage
Dieu seul triomphera !

Marguerite
Mon enfant, où vas-tu ?

Paul
La sauver, ou périr !

Marguerite
Ah !

Paul
Je veux des éléments braver la violence.

Le Missionaire
Mon fils, inclinez-vous devant la Providence.

Paul
Mon Dieu, sauvez ma sœur, ou faites-moi mourir !
(En ce moment apparaît sur le dos des vagues le corps d'une jeune fille, qu'elles déposent en gémissant sur le sable du rivage.)

Marguerite
Mais quel est ce débris que la mer nous apporte ?

Le Missionaire
C'est un linceul où dort un pauvre ange expiré.

Marguerite *(la reconnaissant)*
Virginie ! hélas ! morte !

Paul
Morte ! ô désespoir !
Ma mère, j'en mourrai !

Marguerite
Et sa mère, ô mon Dieu !

[CD I : 22]

LE MISSIONAIRE

Mon fils, elle est au ciel !

LE MISSIONAIRE	MARGUERITE
Ô puissance infinie !	Ô douleur infinie,
Dieu seul est immortel.	Ô regret éternel !
Prions pour Virginie !...	Adieu, ma Virginie !...
Virginie est au ciel !	Virginie est au ciel !

PAUL

Virginie !

Virginie est au ciel !...

Ode

Texte de Jean-Baptiste Rousseau

[CD II : 01]

Pressé de l'ennui qui m'accable,
Jusqu'à ton trône redoutable
J'ai porté mes cris gémissants :
Seigneur, entends ma voix plaintive,
Et prête une oreille attentive
Au bruit de mes tristes accents.

Si dans le jour de tes vengeances
Tu considères mes offenses,
Grand Dieu, quel sera mon appui ?
C'est à toi seul que je m'adresse,
Et c'est en ta sainte promesse
Que mon cœur espère aujourd'hui.

Oui, je m'assure en ta clémence.
Si, toujours plein de ta puissance,
Mon zèle a soutenu ta loi,
Dieu juste, sois-moi favorable,
Et jette un regard secourable
Sur ce cœur qui se fie en toi.

Chœur de Sylphes

Texte d'Étienne de Jouy

(extrait de *Zirphile et Fleur de Myrte*,
opéra de Charles-Simon Catel, acte I, scène 4)

[CD II : 02]

D'une aile légère,
Avec les zéphyrs,
Volons sur la terre,
Semons les plaisirs ;
Par ce jeu frivole
Au temps qui s'envole
Dérobons ses droits ;
La beauté qui passe,
La fleur qui s'efface,
Disent à la fois :
D'une aile légère,
Avec les zéphyrs,
Volons sur la terre,
Semons les plaisirs.

Laissons des noirs abymes
Les tristes profondeurs ;
Sur les riantes cimes
Faisons naître les fleurs ;
Bercés par la folie,
Laissons couler la vie
À l'abri des regrets ;
Sans mesurer l'espace
Arrivons à la place
Qu'ombragent les cyprès.

D'une aile légère,
Avec les zéphyrs,
Volons sur la terre,
Semons les plaisirs ;

Par ce jeu frivole
Au temps qui s'envole
Dérobons ses droits ;
La beauté qui passe,
La fleur qui s'efface,
Disent à la fois :
D'une aile légère,
Avec les zéphyrs,
Volons sur la terre,
Semons les plaisirs.

Messe opus 4 (extraits)

Credo
[CD II : 03]

Credo in unum Deum, Patrem omnipotentem, factorem coeli et terrae, visibilium omnium et invisibilium. Et in unum Dominum Jesum Christum, Filium Dei unigenitum, et ex Patre natum ante omnia saecula. Deum de Deo, Lumen de Lumine, Deum verum de Deo vero, genitum, non factum, consubstantialem Patri ; per quem omnia facta sunt. Qui propter nos homines, et propter nostram salutem descendit de coelis. Et incarnatus est de Spiritu Sancto ex Maria Virgine, et homo factus est. Crucifixus etiam pro nobis sub Pontio Pilato, passus et sepultus est. Et resurrexit tertia die, secundum Scripturas, et ascendit in coelum, sedet ad dexteram Patris. Et iterum venturus est cum gloria, judicare vivos et mortuos, cujus regni non erit finis. Et in Spiritum Sanctum, Dominum et vivificantem, qui ex Patre Filioque procedit. Qui cum Patre et Filio simul adoratur et conglorificatur : qui locutus est per prophetas. Et unam, sanctam, catholicam et apostolicam Ecclesiam. Confiteor unum baptisma in remissionem peccatorum. Et expecto resurrectionem mortuorum, et vitam venturi seculi. Amen.

Je crois en un seul Dieu, le Père tout-puissant, créateur du ciel et de la terre, de l'univers visible et invisible. Je crois en un seul Seigneur, Jésus-Christ, le Fils unique de Dieu, né du Père avant tous les siècles ; il est Dieu, né de Dieu, lumière, née de la lumière, vrai Dieu, né du vrai Dieu. Engendré, non pas créé, de même nature que le Père, et par lui tout a été fait. Pour nous les hommes, et pour notre salut, il descendit du ciel ; par l'Esprit-Saint, il a pris chair de la Vierge Marie, et s'est fait homme. Crucifié pour nous sous Ponce Pilate, il souffrit sa passion et fut mis au tombeau. Il ressuscita le troisième jour, conformément aux Écritures, et il monta au ciel ; il est assis à la droite du Père. Il reviendra dans la gloire, pour juger les vivants et les morts ; et son règne n'aura pas de fin. Je crois en l'Esprit Saint, qui est Seigneur et qui donne la vie ; il procède du Père et du Fils. Avec le Père et le Fils, il reçoit même adoration et même gloire ; il a parlé par les prophètes. Je crois en l'Église, une, sainte, catholique et apostolique. Je reconnais un seul baptême pour le pardon des péchés. J'attends la résurrection des morts, et la vie du monde à venir. Amen.

Agnus Dei
[CD II : 04]

Agnus Dei, qui tollis peccata mundi :
miserere nobis.
Agnus Dei, qui tollis peccata mundi :
miserere nobis.
Agnus Dei, qui tollis peccata mundi :
dona nobis pacem.

Agneau de Dieu qui enlèves le péché
du monde, prends pitié de nous.
Agneau de Dieu qui enlèves le péché
du monde, prends pitié de nous.
Agneau de Dieu qui enlèves le péché
du monde, donne nous la paix.

Motets au Saint Sacrement

Inviolata

[CD II : 05]

Inviolata integra et casta es, Maria,
Quae es effecta fulgida coeli porta.
O Mater alma Christi carissima !
Suscipe pia landum proeconia.
Nostra ut pura pectora sint et corpora
Te nunc flagitant devota corda et ora.
Tua per precata dulcisona, nobis
concedas veniam in soecula.
O benigna ! Quae sola inviolata
permansisti.

Vous êtes sans tâche, chaste et virginale, ô Marie. / Vous êtes devenue la porte éclatante du ciel. / O sainte Mère du Christ, qui nous êtes si chère, / Recevez la pieuse louange de nos chants. / Nos cœurs et nos lèvres vous prient avec dévotion, / Pour que soient purs nos corps et nos âmes. / Par vos prières si douces, obtenez-nous le pardon pour l'éternité. / Ô Marie, qui, seule, êtes demeurée sans tache !

Tantum ergo

[CD II : 06]

Tantum ergo Sacramentum
Veneremur cernui ;
Et antiquum documentum
Novo cedat ritui ;
Praestet fides supplementum
Sensuum defectui.
Genitori, Genitoque
Laus et Jubilatio,
Salus, honor, virtus quoque
Sit et benedictione :
Procedenti ab utroque
Compar sit laudatio.

Un si auguste sacrement,
Adorons-le, prosternés ;
Que les vieilles cérémonies
Fassent place au nouveau rite ;
Que la foi de nos cœurs supplée
Aux faiblesses de nos sens.
Au Père et à son Fils unique,
Louange et vibrant triomphe !
Gloire, honneur et toute-puissance !
Bénissons-les à jamais !
À l'Esprit procédant des deux,
Égale adoration.

Ave Maria

[CD II : 07, 11]

Ave Maria, gratia plena,
Dominus tecum,
Benedicta tu in mulieribus,
Et benedictus fructus ventris tui Jesus.
Sancta Maria mater Dei,
Ora pro nobis peccatoribus,
Nunc, et in hora mortis nostrae.

Je vous salue, Marie pleine de grâce ; / Le Seigneur est avec vous. / Vous êtes bénie entre toutes les femmes / Et Jésus, le fruit de vos entrailles, est béni. / Sainte Marie, Mère de Dieu, / Priez pour nous pauvres pécheurs, / Maintenant et à l'heure de notre mort.

O Salutaris

[CD II : 08, 10]

O Salutaris Hostia
Quæ cœli pandis ostium,
Bella premunt hostilia,
Da robur, fer auxilium.

O réconfortante Hostie, / Qui nous ouvre les portes du ciel, / L'ennemi plein de vigueur nous poursuit, / Donne-nous la force, porte-nous secours.

Deus Abraham

[CD II : 09]

Deus Abraham, Deus Isaac,
Et Deus Jacob vobiscum sit ;
Et ipse conjungat vos,
Impleat que benedictionem suam in vobis.
Beati omnes qui timent dominum,
Qui ambulant in viis ejus.

Que le Dieu d'Abraham, le Dieu d'Isaac, / Et le Dieu de Jacob soit avec vous. / Que lui-même vous unisse / Et vous comble de sa bénédiction. / Heureux tous ceux qui craignent le Seigneur, / et qui marchent dans ses voies.

Ave Verum
[CD II : 12]

Ave Verum
Ave Verum Corpus natum de Maria Virgine
Vere passum, immolatum in cruce pro homine,
Cujus latus perforatum unda fluxit aqua e sanguine,
Esto nobis praegustatum in mortis in examine.
O Jesu dulcis, O Jesu pie, O Jesu, fili Mariae,
Tu nobis Miserere.

Salut Vrai corps né de la Vierge Marie
Ayant vraiment souffert et qui fut immolé sur la croix pour l'homme
Toi dont le côté transpercé laissa couler l'eau et le sang
Sois pour nous un réconfort dans l'heure de la mort.
Ô doux, Ô bon, Ô Jésus fils de Marie
Aie pitié de nous.

Facade de l'orgue de Saint-Séverin.
Collection particulière.

SAINT-SÉVERIN

01-12 Ivanhoé 29:02

Cantate (concours pour le prix de Rome, non récompensée, Paris, 1864)

Mezzo-soprano, ténor, baryton et orchestre

Texte de Victor Roussy

(Édition Symétrie & Palazzetto Bru Zane d'après le manuscrit de la Bibliothèque nationale de France, Département de la musique)

01 ***Prélude*** 4:37

02 ***Récit*** : *D'où vient que par moment...* (Rebecca) 1:42

03 ***Prière*** : *Sion, berceau de mon enfance...* (Rebecca) 1:33

04 ***Récit*** : *Rebecca !...* (Rebecca, Bois-Guilbert) 1:37

05 ***Air et Récit*** : *Au mont Carmel en Palestine...* (Rebecca, Bois-Guilbert) 2:14

06 ***Duo*** : *Juste ciel que j'implore...* (Rebecca, Bois-Guilbert) 2:24

07 ***Duo*** : *J'ai prié trop longtemps...* (Rebecca, Bois-Guilbert) 1:35

08 ***Trio*** : *Ivanhoé !... Quoi !... Lui !...* (Rebecca, Ivanhoé, Bois-Guilbert) 1:31

09 ***Chant et Trio*** : *Oui, malgré mon jeune âge...* (Rebecca, Ivanhoé, Bois-Guilbert) 4:30

10 ***Récit*** : *À travers les vitraux...* (Rebecca) 2:55

11 ***Air*** : *Près du bûcher en flamme...* (Rebecca) 2:44

12 ***Final*** : *Mais que vois-je ?...* (Rebecca, Ivanhoé) 1:35

Marina De Liso, *Rebecca* – Bernard Richter, *Wilfred Ivanhoé*
Pierre-Yves Pruvot, *Brian de Bois-Guilbert*

13-22 Le Retour de Virginie 28:33

Cantate (concours pour le prix de Rome, non récompensée, Paris, 1852)

Soprano, ténor, basse et orchestre

Texte d'Auguste Rollet

(Édition Symétrie & Palazzetto Bru Zane d'après le manuscrit de la Bibliothèque nationale de France, Département de la musique)

13 ***Prélude*** 3:06

14 ***Danse de nègres*** 2:27

15 ***Récit*** : *Virginie !...* (Paul) 1:11

16 ***Air*** : *Échos de mon deuil solitaire...* (Paul) 4:13

17 *Scène et Duo* : *Mon fils !... Sois heureux...* (Marguerite, Paul) 5:10
18 *Récit et Duo* : *Mon âme était partie...* (Marguerite, Paul) 2:51
19 *Récit* : *Amis, entendez-vous la tempête naissante...* (Le Missionnaire) 2:09
20 *Prière* : *Ô roi des cieux...* (Marguerite, Paul, Le Missionnaire) 2:13
21 *Finale* : *Entendez-vous ?...* (Marguerite, Paul, Le Missionnaire) 3:40
22 *Finale* : *Mon fils, elle est au ciel...* (Marguerite, Paul, Le Missionnaire) 1:27

Marina De Liso, *Marguerite* – Bernard Richter, *Paul*
Nicolas Courjal, *Le Missionnaire des Pamplemousses*

CD II 56:39

---

01 Ode 6:19

Chœur (concours d'essai pour le prix de Rome, Paris, 1864)

(Édition Symétrie & Palazzetto Bru Zane d'après le manuscrit des Archives nationales)

02 Chœur de Sylphes 4:56

Chœur (concours d'essai pour le prix de Rome, Paris, 1852)

Soprano et mezzo-soprano solo, chœur et orchestre

Texte d'Étienne de Jouy (extrait de *Zirphile et Fleur de Myrte*)
(Édition Symétrie & Palazzetto Bru Zane d'après le manuscrit de la Bibliothèque nationale de France, Département de la musique)

Julie Fuchs, *soprano solo* – Solenn' Lavanant Linke, *mezzo-soprano solo*

03-04 Messe opus 4 (extraits) 13:12

(Paris, 1857)

03 *Credo* 8:48
04 *Agnus Dei* 4:22

François Saint-Yves, *orgue*

05-12 Motets au Saint Sacrement 31:59

05 ***Inviolata** en fa majeur* (chœur de femmes et orgue) 5:48

06 ***Tantum Ergo** en mi bémol majeur* (chœur de femmes et orgue) 2:42

07 ***Ave Maria** en fa majeur* (sopranos et orgue) 4:31

08 ***O Salutaris** en mi majeur* (chœur d'hommes et orgue) 2:11

09 ***Deus Abraham** en fa majeur* (altos, ténors et orgue) 3:08

10 ***O Salutaris** en la bémol majeur* (chœur sans ténors et orgue) 3:41

11 ***Ave Maria** en la majeur* (ténors et orgue) 4:23

12 ***Ave Verum** en ré majeur* (chœur de femmes, cor solo et orgue) 5:15

Bart Cypers, *cor* – François Saint-Yves, *orgue*

Édition d'un recueil de motets de Saint-Saëns par Durand, Schoenewerk et Cie.
Collection particulière.

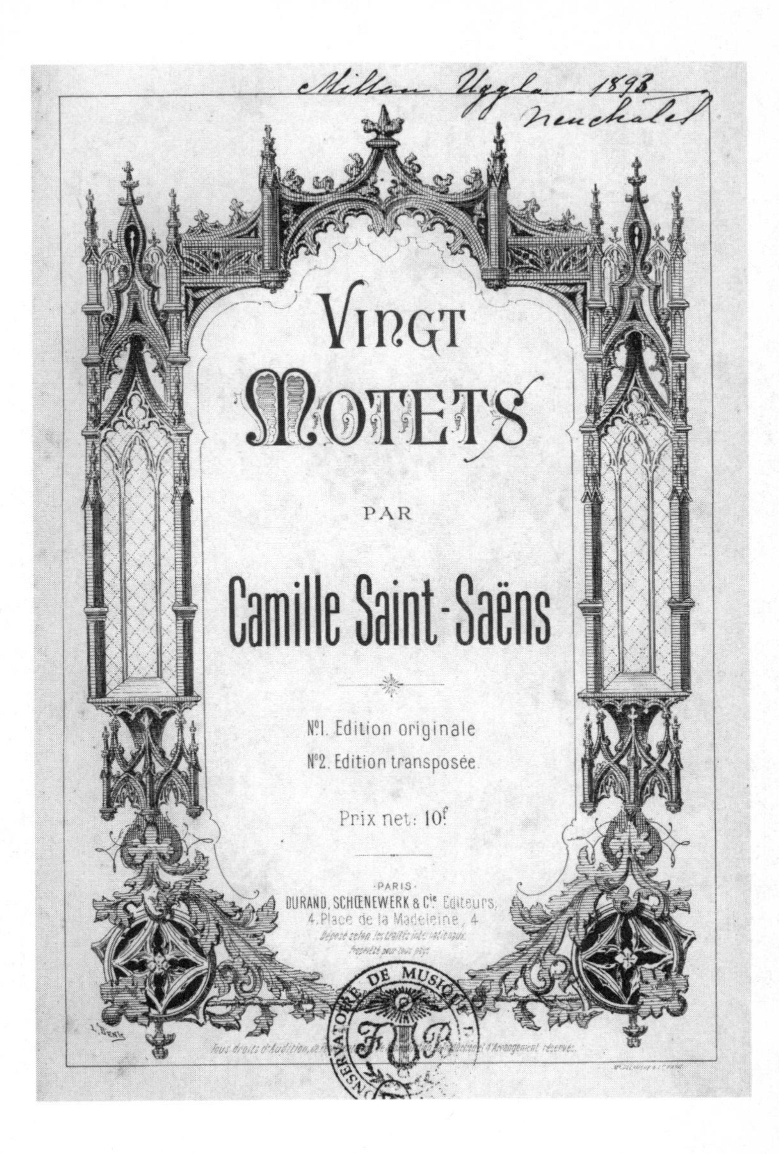
VINGT
MOTETS
PAR
Camille Saint-Saëns
Nº1. Edition originale
Nº2. Edition transposée.
Prix net: 10f
PARIS
DURAND, SCHŒNEWERK & Cie Editeurs,
4, Place de la Madeleine, 4
Déposé selon les traités internationaux.
Propriété pour tous pays.
CONSERVATOIRE DE MUSIQUE

Julie Fuchs, *soprano*
Marina De Liso, *mezzo-soprano*
Solenn' Lavanant Linke, *mezzo-soprano*
Bernard Richter, *ténor*
Pierre-Yves Pruvot, *baryton*
Nicolas Courjal, *basse*

Bart Cypers, *cor*
François Saint-Yves, *orgue*

Flemish Radio Choir

Brussels Philharmonic – the Orchestra of Flanders

Hervé Niquet

direction

Enregistrements réalisés à la Salle Reine Elisabeth, Anvers (9-13 février 2010 ; cantates), à l'Église des Jésuites, Heverlee (11-12 mars 2010 ; motets et messe) et à Flagey, Bruxelles (11 octobre 2010 ; chœurs avec orchestre)
Prise de son : Manuel Mohino
Direction artistique : Manuel Mohino & Hervé Niquet
Production exécutive : Carlos Céster

Une production Glossa Music pour MusiContact GmbH

Julie Fuchs

Marina De Liso

Solenn' Lavanant Linke

Bernard Richter

Pierre-Yves Pruvot

Nicolas Courjal

François Saint-Yves

Flemish Radio Choir
(photo : Björn Tagamose)

Brussels Philharmonic – the Orchestra of Flanders
(photo : Britt Guns)

PREMIER VIOLON SOLO

Lei Wang / Henry Raudales

PREMIERS VIOLONS

Ezequiel Larrea /
Bart Lemmens *(chefs de pupitre)*
Maurits Goossens /
Gudrun Vercampt *(solistes)*
Alissa Vaitsner
Daniela Rapan
Philippe Tjampens
Olivia Bergeot
Andrzrei Dudek
Lucie Delvaux
Stefaan Claeys
Virginie Petit
Léonie Delaune
Saartje De Muynck
Liesbeth Kindt
Annelies Broeckhoven
An Simoens

DEUXIÈMES VIOLONS

Ivo Lintermans *(chef de pupitre)*
Marc Steylaerts *(co-chef de pupitre)*
Gordan Trajkovic *(soliste)*
Bruno Linders
Ion Dura
Karine Martens
Francis Vanden Heede
Eleonore Malaboeuf
Caroline Chardonnet
Cristina Constantinescu
Alison Denayer
Isabelle Decraene
Persida Dardha
Ilse Vantendeloo

ALTOS

Nathan Braude /
Beatrice Derolez *(chefs de pupitre)*
Stefan Uelpenich
Griet Francois
Anna Przeslawska
Patricia Van Reusel
Agnieska Kosakowska
Anna Tkatchouk
Justyna Yaniak
Philippe Allard
Barbara Peynsaert
Helena Raeymakers

VIOLONCELLES

Luc Tooten *(chef de pupitre)*
Karel Steylaerts *(co-chef de pupitre)*
Livin Vandewalle
Barbara Gerarts
Jan Baerts
Emmanuel Tondus
Viviane Abdelmalek
Dominique Peynsaert
Kirsten Andersen
Elke Wynants

CONTREBASSES

Marc Saey *(chef de pupitre)*
Thomas Fiorini *(soliste)*
Martin Rosso
Tino Ladika
Hekuran Bruci
Olivier Garnier
Ariel Eberstein
Philippe Stepman

FLÛTES

Wouter Van den Eynde *(chef de pupitre)*
Eric Mertens *(2e flûte)*
Laurence Dubar *(3e flûte & piccolo)*

HAUTBOIS

Joris Van den Hauwe *(chef de pupitre)*
Maarten Wijnen &
Lode Cartrysse *(2e hautbois & cor anglais)*

CLARINETTES

Anne Boeykens /
Eddy Vanoosthuyse *(chefs de pupitre)*
Danny Corstjens *(2e clarinette)*

BASSONS

Karsten Przybyl *(chef de pupitre)*
Alexander Kuksa *(2e basson)*

CORS

Bart Cypers /
Hans Van der Zanden *(chefs de pupitre)*
Anthony Devriendt /
Evi Baetens *(2e cor)*
Mieke Ailliet *(soliste)*
Gerry Liekens *(4e cor)*

TROMPETTES

Andrei Kavalinski /
Ward Hoornaert *(chefs de pupitre)*
Rik Ghesquiere *(2e trompette)*

TROMBONES

Tom Verschoore /
Guido Liveyns /
David Rey *(chefs de pupitre)*
Charlotte Van Passen /
Marc Joris *(2e trombone)*
Tim Van Medegael *(trombone basse)*

PERCUSSION

Gert D'Haese *(chef de pupitre)*
Herman Truyens
Tom De Cock

Chœur

SOPRANOS

Karen Lemaire
Hildegarde Van Overstraeten
Hilde Venken
Nadine Verbrugghe
Sarah Van Mol
Emilie De Voght
Marina Smolders
Sarah Abrams

ALTOS

Lena Verstraete
Marianne Byloo
Marleen Delputte
Helena Bohuszewicz
Noëlle Schepens
Sofie Vander Heyden
Saartje Raman

TÉNORS

Ivan Goossens
Frank De Moor
Paul Schils
Gunter Claessens
Paul Foubert
Roel Willems

BASSES

Philippe Souvagie
Joris Derder
Conor Biggs
Jan van der Crabben
Lieven Deroo
Paul Mertens
Marc Meersman

SAINT-SAËNS CARICATURÉ EN HENRY VIII.
Musica, juin 1907, p. 88.

SAINT-SAËNS CARICATURÉ EN SAMSON.
Musica, juin 1907, p. 88.